Olfa ZOUKAR
Dr Wiem Ben Slamia

Appendici di torsione :

Esperienza del centro di maternità e neonatologia di Monastir

ScienciaScripts

Cover image: www.ingimage.com

This book is a translation from the original published under ISBN 978-3-8381-4918-9.

Publisher:
Sciencia Scripts
is a trademark of
Dodo Books Indian Ocean Ltd. and OmniScriptum S.R.L publishing group

120 High Road, East Finchley, London, N2 9ED, United Kingdom
Str. Armeneasca 28/1, office 1, Chisinau MD-2012, Republic of Moldova, Europe

ISBN: 978-620-7-30120-1

Contenuti

1 INTRODUZIONE

La torsione annessiale è una grave emergenza ginecologica che minaccia la prognosi della fertilità. Si manifesta nel 3% delle pazienti che presentano dolore pelvico acuto (1). È definita come una torsione dell'ovaio, della tuba di Falloppio o di entrambi intorno ai legamenti infundibulopelvici e utero-ovarici (2). Questa rotazione compromette il peduncolo ovarico, che può portare a un infarto ovarico, con conseguente necrosi, se la consultazione o la diagnosi vengono ritardate (3). La presenza di una massa ovarica di almeno 5 cm è il principale fattore di rischio per la torsione(4). La torsione isolata della tuba è possibile ma eccezionale (5). L'età delle pazienti è ampia, dal pre-menarca alla post-menopausa, anche se la maggior parte dei casi si verifica in donne in età riproduttiva (6,7).

La diagnosi precoce della torsione è fondamentale e può prevenire la necrosi degli annessi e i conseguenti problemi di fertilità (8). Una consultazione tardiva, e soprattutto una diagnosi ritardata o difficile, compromette la prognosi della torsione annessiale (9), poiché è spesso difficile fare una diagnosi preoperatoria precisa di torsione annessiale a causa della sua sintomatologia clinica polimorfa e dell'assenza di segni biologici e radiologici specifici (10,11). La moltitudine di diagnosi differenziali con altre emergenze ginecologiche e chirurgiche rende la diagnosi ancora più difficile (12).

L'ecografia è l'esame radiologico di prima scelta (13), ma presenta dei limiti e i risultati riportati in letteratura sono spesso incoerenti (10,14). I reperti ecografici includono comunemente un ovaio ingrandito con stroma iperecogeno e disposizione periferica dei follicoli, e di solito la sede di una massa cistica (15). La diagnosi ecografica accurata di torsione annessiale è stata riportata nel 23%-81% delle donne (11), e le prestazioni del Doppler per lo studio della vascolarizzazione annessiale sono controverse (16). Un flusso arterioso normale all'ecografia non esclude la torsione ovarica e il sospetto deve rimanere nel caso di una massa cistica (17). Pertanto, la torsione annessiale viene sospettata preoperatoriamente solo nel 23-70,8% dei casi (11,18) e fino al 50% degli interventi chirurgici eseguiti per sospetta torsione annessiale in giovani donne con dolore pelvico acuto non rivela una torsione annessiale (18).

Quando la diagnosi di torsione annessiale è fortemente suggerita, il trattamento laparoscopico conservativo è attualmente l'approccio di scelta, ad eccezione di una massa sospetta di malignità o di una torsione in una donna in menopausa (19).

Sulla base di questi risultati, abbiamo condotto questo studio retrospettivo su 100 casi di donne che si sono presentate al nostro dipartimento di emergenza con dolore pelvico acuto e in cui si sospettava una torsione annessiale. Ci siamo posti i seguenti obiettivi:

-   Determinare i vari segni clinici e paraclinici della torsione annessiale e i fattori prognostici coinvolti.

-   Stabilire un confronto clinico-biologico, radiologico e intraoperatorio delle pazienti che presentano una torsione annessiale.

2 MATERIALI E METODI

1. Tipo e sede dello studio

Si tratta di uno studio retrospettivo, descrittivo e analitico, monocentrico, condotto nel reparto di ginecologia del centro di maternità e neonatologia di Monastir (CMNM), in un periodo di 5 anni dal 01/01/2017 al 31/01/2022.

2. Popolazione in studio

2.1. Criteri di inclusione

Tutte le donne che si sono presentate al nostro servizio di Ginecologia Ostetrica del CMNM con dolore pelvico acuto e sono state sottoposte a un intervento chirurgico urgente per sospetta torsione annessiale.

2.2. Criteri di esclusione

I pazienti con cartelle cliniche perse, incomplete o inutilizzabili sono stati esclusi dallo studio.

3. Raccolta dati

I dati necessari per il nostro studio sono stati raccolti da cartelle cliniche, referti operatori, registri di ricovero e registri anatomopatologici.

Per ogni paziente è stata redatta una griglia di analisi individuale (**appendice 1**) concepita per gli scopi dello studio.

Ogni scheda è strutturata intorno ai seguenti temi:

3.1. Dati clinici

- **Dati epidemiologici** (età, stato civile, stato ormonale, anamnesi medica e chirurgica).
- **Antecedenti ostetrici** (gestazione, parità, aborto, stato gravidico-puerperale, numero di parti cesarei, metodo contraccettivo).
- **Antecedenti ginecologici** (fase del ciclo mestruale, cisti ovarica, cistectomia, torsione annessiale, induzione dell'ovulazione, legatura delle tube, isterectomia).
- **Esame clinico** (precedente episodio simile, tempo intercorso tra l'insorgenza del dolore e la consultazione di emergenza, segni semiologici del dolore, segni associati al dolore, esame addominale e ginecologico).

3.2. Dati radiologici

- Segni ecografici di torsione annessiale :
- L'ovaio aumenta di dimensioni
- Posizione anomala del tendine
- Stroma iperecogeno
- Disposizione periferica dei follicoli
- Vascolarizzazione color Doppler ridotta o assente

- Ricerca del segno del tourbillon
- TC (se effettuata): ricerca di segni di torsione annessiale (come l'ecografia)

3.3. Dati biologici

Livello plasmatico della catena в dell'ormone gonadotropo corionico umano (beta HCG).

Emocromo (CBC)

Proteina C-Reattiva (CRP)

3.4. Le procedure chirurgiche coinvolte

- Tipo di intervento: crelioscopia o laparotomia
- Reperti operativi: presenza o assenza di torsione degli annessi (intorno al proprio asse di almeno 360°)
- Tipo di trattamento: conservativo o radicale
- Prevenzione della recidiva

3.5. Studio anatomopatologico

3.6. Follow-up post-terapeutico

3.7. Differenziali diagnostici

4. Analisi statistica

L'inserimento dei dati e l'analisi statistica sono stati effettuati utilizzando Microsoft Office Excel 2019 e IBMSPSS.

4.1. Sezione descrittiva

Per le variabili qualitative, le frequenze sono presentate come percentuali.

Per le variabili quantitative, la distribuzione dei dati è stata studiata utilizzando i coefficienti di skewness e kurtosis e i test di normalità. Le variabili sono presentate come medie ± deviazione standard nel caso di una distribuzione normale e come mediane [25eme - 75eme] nel caso opposto.

4.2. Parte analitica

Il test esatto di Fisher o il test del Chi-quadro di Pearson sono stati utilizzati per determinare l'associazione univariata di vari parametri con la torsione annessiale confermata chirurgicamente. Il test t di Student è stato utilizzato per confrontare le medie e il test di Mann Whitney per confrontare le medie. È stata eseguita un'analisi di regressione logistica binaria per calcolare l'odds ratio e l'intervallo di confidenza al 95% per l'associazione dei diversi parametri con la torsione annessiale. Un valore $p < 0,05$ è stato considerato statisticamente significativo.

5. Ricerca bibliografica

La ricerca bibliografica è stata effettuata consultando banche dati bibliografiche informatizzate (PubMed, Science Direct, Cochrane Library,

Google Scholar), nonché enciclopedie e corsi post-laurea.

6. Considerazioni etiche e conflitti di interesse

In questo lavoro abbiamo rispettato il segreto professionale e l'anonimato dei pazienti e dichiariamo di non avere conflitti di interesse.

3 RISULTATI

I. Studio epidemiologico :

1. Frequenza complessiva :

Durante il periodo di studio, abbiamo contato :

- Sono stati operati 48 casi di tumori ovarici, di cui 66 con torsione, con una frequenza del 16,17%.

- Quattrocentottantadue emergenze ginecologiche, di cui 106 pazienti, hanno presentato una torsione annessiale, confermata chirurgicamente in 66 pazienti, con una frequenza del 13,69% (Figura 1).

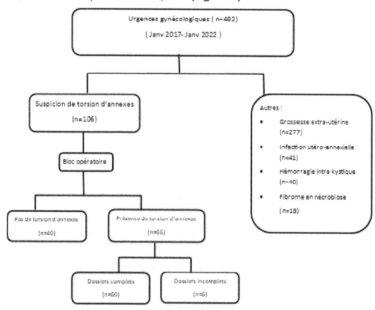

Figura 1. Diagramma di flusso delle diverse emergenze ginecologiche

2. Prevalenza annuale

La prevalenza della torsione era di circa 11 casi all'anno (Tabella I).

Tabella I: Prevalenza di torsione annessiale per anno

Anno	Forza lavoro	Percentuale (%)
2017	7	10,6
2018	18	27,2
2019	16	24,2
2020	11	16,7
2021	12	18,2

7

2022	2	3
Totale	66	100

II. Dati clinici

Il nostro studio clinico ha incluso 60 donne con diagnosi confermata di torsione annessiale con dati completi.

1. Profilo del paziente

1.1. Età

L'età media dei nostri pazienti era di 25,92±9,09 anni, con valori estremi compresi tra 13 e 53 anni (Figura 2).

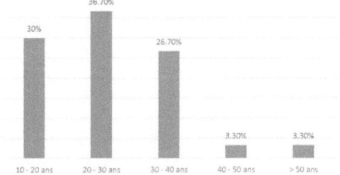

Figura 2. Distribuzione dei pazienti in base all'età

1.2 Stato ormonale

La distribuzione per età ha mostrato una netta prevalenza di donne in età fertile (93%), con un picco tra i 20 e i 30 anni.

Abbiamo osservato 2 casi di donne in menopausa e 2 casi di donne in età pre-puberale (Figura 3).

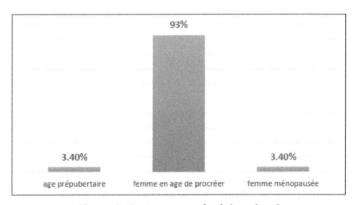

Figura 3. Stato ormonale dei pazienti

1.3. Stato civile

- Due terzi dei nostri pazienti, cioè 37 casi, erano single (61,7%), 4 dei quali erano donne.

I casi erano in età pediatrica (<= 16 anni).

- Il restante terzo, 23 casi, erano donne sposate (38,3%) (Figura

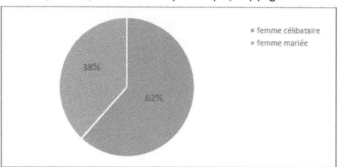

Figura 4. Stato civile dei pazienti

1.4. Antecedenti patologici

Gli antecedenti patologici medici, chirurgici e ginecologico-ostetrici delle nostre pazienti erano i seguenti (Tabella II):

- La presenza di una precedente cisti ovarica in 8 pazienti (13,3% dei casi).
- Precedente cistectomia in 4 pazienti (6,7% dei casi)
- Una storia di torsione annessiale in 1 paziente.
- Precedente parto cesareo in 5 pazienti (8,3% dei casi).

Tabella II: Anamnesi del paziente

Antecedenti	Forza lavoro	Percentuale (%)	
Medico			
ACFA	1	1.7	
Asma	1	1.7	
Ipotiroidismo	1	1.7	
Ulcera gastroduodenale	1	1.7	
Chirurgico			
Appendicectomia	1	1.7	
Gineco-ostetrico			
Parto cesareo	5	8.3	
Storia di cisti ovariche	8		13.3
Precedente cistectomia	4	6.7	
Anamnesi di torsione annessiale	1	1.7	

9

Assunzione di ovulazione	1	1.7
Contraccezione con IUD	4	6.7
Legatura delle tube	1	1.7
Isterectomia totale	1	1.7

1.5. Gestite-Parite

La gestione media è stata di 1,32 con estremi che vanno da 0 a 8.
La parità media è stata di 0,88, con estremi che vanno da 0 a 6.
Trentanove pazienti (65%) erano nullipare (Figura 5).

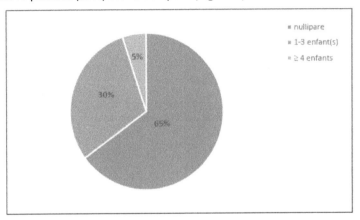

Figura 5: Parità dei pazienti in percentuale

1.6. Gravidanza e parto

Nella nostra serie, abbiamo osservato 4 casi di gravidanza associata a torsione annessiale:
- due casi di gravidanza nel 1er trimestre, uno dei quali indotto da STI
- due casi di gravidanza spontanea a 24 e 26 giorni di gestazione.

Non abbiamo riscontrato casi di torsione annessiale durante il 3eme trimestre o nel post partum.

1.7. Fase del ciclo

La data dell'ultima mestruazione è stata registrata in 31 casi, con una distribuzione delle fasi del ciclo mestruale come segue (Figura 6):
- 15 donne consultate durante la fase follicolare (48,4%)
- 4 donne consultate durante il periodo ovulatorio (12,9%)
- 12 donne consultate durante il periodo mestruale (38,7%)

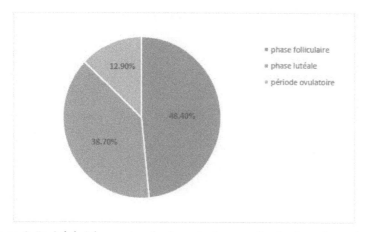

phase folliculaire
phase lutéale
période ovulatoire

12.90%

48.40%

38.70%

Figura 6. Fasi del ciclo mestruale durante le consultazioni con le pazienti

2. Studio clinico

2.1. Tempo intercorso tra l'insorgenza dei sintomi e il primo consulto medico

Questo periodo variava dalla consultazione entro 12 ore dalla prima sintomatologia a un periodo di oltre 3 giorni.

Ventuno pazienti (37,5% dei casi) sono stati consultati entro le prime 12 ore.

La metà dei pazienti (62,5%) è stata visitata entro 12 ore.

Nove pazienti si sono consultati entro più di 72 ore (Figura 7).

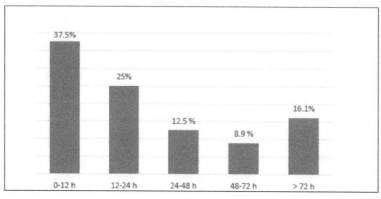

37.5%

25%

16.1%

12.5%

8.9%

0-12 h   12-24 h   24-48 h   48-72 h   > 72 h

Figura 7. Tempo tra l'insorgenza dei sintomi e la consultazione del pronto soccorso ginecologico

2.2. Segnali funzionali

2.2.1.Il dolore

Il dolore pelvico è stato il disturbo principale in 59 pazienti (98,3%).

- Modalità di installazione :

11

L'insorgenza del dolore è stata improvvisa in 43 pazienti, ovvero nel 71,7% dei casi (Figura 8).

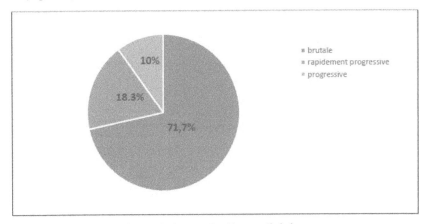

Figura 8. Come si sviluppa il dolore

- Trasmissione :

Il dolore è stato descritto come localizzato senza diffusione in 45 pazienti, ovvero nel 75% dei casi.

- Episodi dolorosi simili :

Otto pazienti (13,3%) hanno riferito un episodio di dolore simile.

2.2.2. Segni associati

I disturbi digestivi, come il vomito, sono stati il segno associato più frequente nel 41,7% dei casi, seguiti dalla nausea nel 6,7% dei casi.

Segni urinari come la pollachiuria sono stati osservati solo in due pazienti.

È stato rilevato un solo caso di metrorragia associata.

3. Esame fisico

3.1. Segnaletica generale

Le condizioni generali sono state considerate invariate nella maggior parte dei pazienti (81,7% dei casi), mentre l'alterazione delle condizioni generali con ipotensione arteriosa è stata notata in 11 pazienti (18,3% dei casi).

Nella nostra serie di studi, 6 pazienti avevano una febbre non superiore a 39°Celcius.

Gli altri pazienti erano apiretici.

3.2. Segni fisici

3.2.1. Esame addominale

- Localizzazione del dolore :

Il dolore nella fossa iliaca destra è stato riscontrato in 25 pazienti (42,4% dei casi).

Il dolore nella fossa iliaca sinistra è stato riscontrato in 19 pazienti (32,2% dei casi).

Il dolore ipogastrico è stato riscontrato in 12 pazienti, ovvero nel 20,3% dei casi (Figura 9).

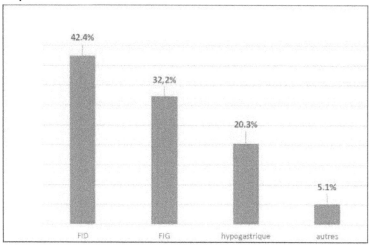

*Autres : inclus la douleur diffuse abdominopelvienne et lombaire

Figura 9. Localizzazione del dolore durante l'esame fisico

- Intensità del dolore :
- La sensibilità pelvica è stata riscontrata in 46 casi (76,7%).
- La tenerezza pelvica era presente in 14 casi (23,3%).
- Diffusione del dolore :
- Il dolore alla palpazione era localizzato in 48 donne (80%).
- Il dolore si è diffuso al resto dell'addome nei restanti 12 casi (20%).

3.2.2. Esame ginecologico

- L'esame dello speculum è stato effettuato in un solo caso e ha rivelato una piccola quantità di sanguinamento endouterino.
- Il tocco vaginale è risultato doloroso nel 46% delle donne esaminate.
- Nessuno dei pazienti presentava leucorrea.

-La Tabella III mostra una sintesi dei segni funzionali e dei risultati dell'esame fisico nei nostri pazienti (Tabella III).

Tabella III: Riassunto dello studio clinico dei pazienti

Studio clinico	Forza lavoro	Percentuale (%)
Segni funzionali :		
Dolore pelvico	59	98,3
Insorgenza improvvisa	43	71,7

Dolore locale	45	75
Episodio doloroso simile	8	13,3
Nausee	4	6,7
Vomito	25	41,7
Segni urinari	2	3,4
Metrorragie	1	1,7
Esame fisico		
Cambiamento delle condizioni generali	11	18,3
Temperatura (>38°)	6	10
Localizzazione del dolore		
Diritto	25	42,4
A sinistra	19	32,2
ipogastrico	12	20,3
Difesa addominale	14	23,3

III. Dati paraclinici
1. Emocromo (CBC)
Questo esame è stato eseguito in 53 casi, con valori di WBC compresi tra 4200 elementi/mm3 e 24700 elementi/mm3. Abbiamo notato un'iperleucocitosi superiore a 10000 elementi/mm3 in 28 pazienti, ovvero nel 52,8% dei casi.

2. Proteina C-Reattiva (CRP)
I livelli di CRP sono stati misurati in 27 casi, e la soglia per i livelli positivi di CRP nel laboratorio del nostro centro è superiore a 5 mg/L.

Tredici casi (48,1%) avevano una CRP positiva.

La CRP era 148,2 e 165,5 in due pazienti febbrili.

3. Ecografia pelvica :
In tutte le nostre pazienti è stata eseguita un'ecografia pelvica.

L'apparecchiatura utilizzata era quella del pronto soccorso del nostro reparto, mentre 29 pazienti (48,3%) hanno beneficiato di ulteriori esami ecografici nel reparto di radiologia del Centro di Maternità e Neonatologia di Monastir.

Le ecografie sono state eseguite per via sovrapubica in tutti i pazienti e 8 pazienti hanno beneficiato di un'ulteriore ecografia endovaginale.

L'ecografia pelvica ha mostrato la presenza di una massa annessiale in 49 donne (81,7% dei casi).

3.1. Topografia della massa :

Il sito destro è stato il sito predominante, con il 43,6% dei casi, seguito dal sito sinistro, che ha rappresentato il 34,5% dei casi, e poi dai siti retrouterino, addomino-pelvico, bilaterale e sovravescicale (Figura 10).

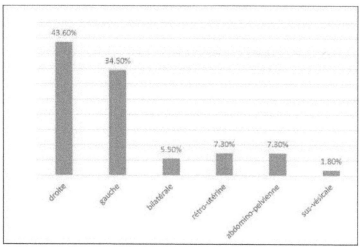

Figura 10. Topografia ecografica della massa annessiale contorta

3.2. Dimensioni della massa

Lo studio delle dimensioni ecografiche delle masse annessiali ha rivelato una dimensione media di 80,22± 3,6 mm, con estremi compresi tra 3 cm e 20 cm. Trenta pazienti, ovvero il 61,2% dei casi, avevano una massa annessiale di dimensioni comprese tra 5 e 10 cm (Figura 11).

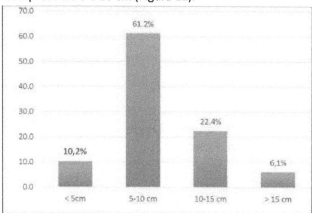

Figura 11. Distribuzione delle masse ovariche in base alle dimensioni dell'ecografia

3.3. Ecostruttura di massa

L'aspetto ecografico predominante era anecoico in 41 casi (83,7%) (Figura 12).

15

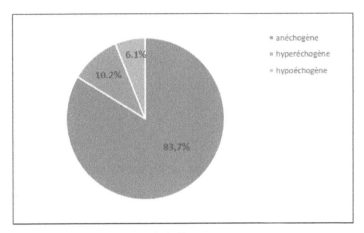

- anéchogène
- hyperéchogène
- hypoéchogène

6.1%
10.2%
83,7%

Figura 12. Ecogenicità della massa annessa contorta

Masse solidocistiche ët sono state riscontrate in 14 casi o nel 28%.

Il tipico aspetto ëchografico della cisti dermoide ë- è stato riscontratoë in 3 donne Otto cisti tra le cisti ëtudiëes ëtaient cloisonnës soit 13,3 % et les vëgëtations ont ëtë dëcrites dans 4 cystes soit 6,7 % des cas (Tableau IV).

Tabella IV: Ripartizione per contenuto delle masse annessiali

Ecostruttura	Forza lavoro	Percentuale (%)
Solido	5	10
Solido cistico	14	28
Eterogeneo	4	8
Aspetto suggestivo di una cisti dermoide	3	6
Emorragico	1	2

3.5. Segni ecografici di torsione

I segni ëchografici di torsione ëtait notës in alcuni rapporti d^chographie .

L'ovaio è aumentato di dimensioni in 34 pazienti (56,7% dei casi).

Lo stroma ovarico ipercogeno non è stato rilevato in 5 pazienti, ovvero nell'8,5% dei casi.

La disposizione periferica dei follicoli è stata osservata in 7 pazienti, ovvero nell'11,7% dei casi (Figura 13).

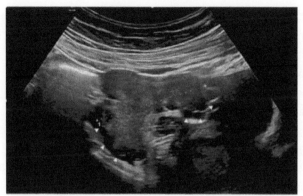

Figura 13. Ovaio ingrossato con disposizione periferica dei follicoli (frecce) rilevata dall'ecografia transaddominale.

Il segno Whirlpool è stato riscontrato in 7 pazienti, ovvero nell'11,7% dei casi (Figura 14).

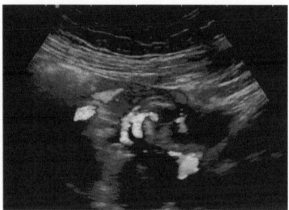

Figura 14. Segno del vortice rilevato con l'ecografia color Doppler transaddominale

3.6. Presenza di versamento

Il versamento di Douglas era presente nel 53,3% dei casi (32 casi); è stato giudicato di bassa abbondanza in 25 casi, cioè con una predominanza dell'80,6%, e di moderata abbondanza nei restanti 6 casi (19,4%).

Non sono stati riscontrati casi in cui il versamento è stato considerato molto abbondante.

4. Altri test aggiuntivi

4.1. TAC addominale e pelvica

La TC addominopelvica è stata richiesta in 10 pazienti che presentavano forme subacute o che sono state indirizzate dalle emergenze generali per sospetta torsione annessiale scoperta durante questo esame nel sospetto di altre patologie.

In 5 casi sono stati riscontrati segni scannografici di torison:

- In un caso, un'ovaia è aumentata di dimensioni.
- posizione anomala degli annessi o massa annessiale in 3 casi.
- un'immagine del giro della cuspide della proboscide trovata in un caso.

4.2. Risonanza magnetica pelvica

Nessun paziente della nostra serie di studi è stato sottoposto a risonanza magnetica pelvica. La Tabella V riassume i vari dati biologici ed ecografici riscontrati nei nostri pazienti durante il processo diagnostico (Tabella V).

Tabella V: Riassunto dello studio paraclinico dei pazienti

Studio paraclinico	Forza lavoro	Percentuale (%)
Dati biologici : Iperleucocitosi (WBC>10000)	28	52,8
CRP > 5	13	48,1
Dati ecografici :		
Presenza di una massa annessiale	49	81,7
topografia della massa		
Diritto	24	43,6
A sinistra	19	34,5
Dimensione media	8cm [3-30]	
Massa anecogena	41	83,7
L'ovaio aumenta di dimensioni	34	56,7
Stroma ovarico iperecogeno	5	8.5
Disposizione periferica dei follicoli	7	11.7
Posizione anomala degli annessi e della cisti	5	8.5
Vascolarizzazione Doppler degli annessi		
Scarsamente vascolarizzato	1	1.7
Nessuna vascolarizzazione	5	8.5
Insegna Whirlpool	7	11.7
Segno di torsione	2	3.3
Effusione di Douglas	32	53,3

IV. Atteggiamenti terapeutici

1. Tempo tra la consultazione, l'ammissione al reparto di ginecologia e l'intervento chirurgico

Il tempo medio dalla consultazione d'emergenza all'intervento chirurgico è stato di 6,9 ore, con estremi che andavano da 20 minuti a 38,5 ore.

Il tempo medio dal ricovero nel reparto di ginecologia all'intervento chirurgico è stato di 3,6 ore, con estremi che andavano da 10 minuti a 20,3 ore.

Quattro pazienti sono state inizialmente ricoverate nel reparto di ginecologia per il monitoraggio clinico e la rivalutazione; quando il dolore pelvico è peggiorato, sono state trasferite in sala operatoria per il sospetto di torsione annessiale.

2. Esplorazione chirurgica

2.1. Approccio

La crelioscopia è stata eseguita in 37 pazienti (61,7% dei casi).

La laparotomia per embolia è stata eseguita in 23 pazienti, ovvero nel 38,3% dei casi.

2.2. Versamento intraperitoneale

Il versamento intraperitoneale è stato osservato in 26 donne, ovvero nel 43,3% dei casi, ed è stato considerato di piccole dimensioni nella maggior parte dei casi, più spesso sanguinolento o talvolta sieroso o di colore giallo limone.

2.3. Appendice patologica

- Dimensione di torsione :

Abbiamo notato una predominanza di torsioni annessiali sul lato destro (58,2%).

Si è verificato un caso di torsione bilaterale in una ragazza di 18 anni (Figura 15).

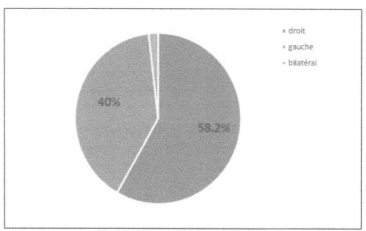

Figura 15. Dimensione della torsione in fase peroperatoria

- Torsione su annessi sani o patologici :

La torsione su un annesso patologico ha coinvolto 50 casi:

• 49 casi di torsione delle cisti (81,6%)

- 1 caso di torsione tubarica su idrosalpinge (1,7%)

La torsione tubarica è stata diagnosticata per il sospetto di una cisti attorcigliata di 4 cm inizialmente all'ecografia sovrapubica in una ragazza di 15 anni che presentava un dolore pelvico acuto. Sono stati poi scoperti intraoperatoriamente un'idrosalpinge attorcigliata e un ovaio sano da un lato con una cisti controlaterale non attorcigliata.

La torsione su un annesso sano ha riguardato 10 casi di torsione ovarica (16,7%).

- Numero di giri :

Il numero di giri delle bobine variava da 1 giro a 6 giri nelle nostre pazienti e in tre referti operatori il numero di giri delle bobine non è stato menzionato, compreso un caso di cisti contorta di 170 cm in cui il numero di giri delle bobine era impossibile da contare perché la cisti era fissata all'utero con aderenze multiple (Tabella VI).

Tabella VI: Numero di giri di spirale osservati

Numero di giri	Forza lavoro	Percentuale (%)
1	14	24.6
2	19	33.3
3	15	26.3
4	6	10.5
5	2	3.5
6	1	1.8

- Stato dell'appendice contorta :

La vitalità dell'appendice contorta è stata valutata dopo la detorsione.

Trentotto annessi avevano una buona vitalità dopo la detorsione (63,3%). Sette annessi erano di dubbia vitalità (11,7%).

Quindici annessi, pari al 25% dei casi, avevano un aspetto necrotico all'esplorazione chirurgica, dieci dei quali hanno riacquistato colore dopo la detorsione (Figura 16).

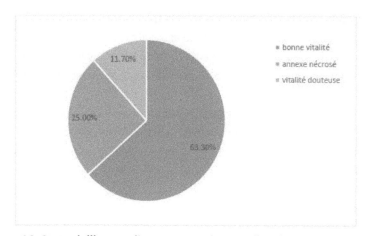

bonne vitalité
annexe nécrosé
vitalité douteuse

11.70%
25.00%
63.30%

Figura 16. Stato dell'appendice contorta durante l'esplorazione operativa
- patologia annessiale associata :
La presenza di una cisti è stata confermata in 49 casi, cioè nell'81,6% dei casi
(Tabella
VII).

Tabella VII: Descrizione sintetica delle patologie annessiali associate a torsione annessiale

Patologia annessiale	Descrizione	Percentuale (%)
Sede della cisti ovarica	44	89.7
Paratubo	5	10.2
Dimensione della cisti		
(cm) Media	7	
Minimo	3	
Massimo	30	
Contenuto della cisti		
dermoide	10	16.7
Endometriosi	1	1.7
Emorragico	7	11.7
Giallo limone	4	6.7
Sereno	6	10
Sero-tematica	2	3.4

3. Allegato controlaterale

Abbiamo notato che :
- cinque casi di cisti controlaterali non attorcigliate.

21

- La maggior parte delle ovaie aveva un aspetto normale, con l'eccezione di un caso di ovaio tumorale senza torsione associata.
- Il tubo era anormalmente lungo e tortuoso in 8 casi, ovvero il 13,6% Al termine di questa esplorazione, la Tabella VIII riassume i diversi risultati riscontrati intraoperatoriamente.

Tabella VIII: Sintesi dell'esplorazione chirurgica per la torsione annessiale

	Forza lavoro	Percentuale (%)
Approccio chirurgico :		
Colonscopia	31	51,7
Laparotomia	23	38,30
Conversione	6	10
Versamento di sangue	26	43,3
Dimensione di torsione		
Legge	37	58,2
A sinistra	22	40
Bilaterale	1	1.8
Allegato sano/patologico		
Appendice sana	10	16.7
Appendice patologica	50	83.3
Numero di giri	2,4 [1-6]	
Appendice contorta		
Buona vitalità	38	63.3
Vitalità discutibile	7	11.7
Necrosi dell'appendice	15	25
Presenza di una massa annessiale	47	79,70
Altezza media (cm)	7 [3-30]	
Sede centrale di massa		
Ovaio	44	89,7
Paratubo	5	10,2

3. Metodi di trattamento

3.1. Approccio

La laparoscopia ha permesso di effettuare il trattamento in 31 pazienti, ovvero nel 51,7% dei casi.

La laparoconversione è stata eseguita in 6 pazienti a causa delle difficoltà operative.

La laparotomia per l'embolizzazione è stata eseguita in 23 pazienti, ovvero nel 38,3% dei casi.

3.2. Tipo di trattamento
3.2.1.Trattamento conservativo
Il trattamento conservativo è stato utilizzato in 52 pazienti, ovvero nell'86,7% dei casi.

La sola detorsione è stata eseguita in 3 casi, combinata con la perforazione ovarica in 3 casi e con l'ovariopsia in 5 casi.

La detorsione con cistectomia è stata eseguita nel 73,1% dei casi (Tabella 12).

3.2.2.Trattamento radicale
È stata eseguita solo su 8 pazienti, pari al 13,3% dei casi:
- Annessiectomia omolaterale: 6 casi (10%)

. Cinque annessectomie per aspetto sfaccettato necrotico degli annessi

. Annessiectomia per sospetto di malignità degli annessi
- Annessiectomia bilaterale: 2 casi di donne in menopausa (3,3%) Tutte le annessiectomie sono state eseguite in laparotomia.

La Tabella IX riassume le diverse modalità di trattamento conservativo e radicale a seconda dell'approccio chirurgico scelto.

Tabella IX: Sintesi delle diverse modalità terapeutiche conservative e radicali a seconda dell'approccio.

	Approccio laparoscopico (n=32)	Laparotomia (n=28)	Totale (n=60)
Trattamento conservativo :			n=52
Detorsione	3	0	3
Detorsione + cistectomia	20	18	38
Detorsione + perforazione ovarica	2	0	2
Detorsione +ovariopsia	3	1	4
Detorsione+ovariopsia+foratura ovarico	0	1	1
Perforazione della cisti + detorsione	3	0	3
Puntura tubarica + detorsione	1	0	1
Trattamento radicale:			n=8
Annessiectomia unilaterale	0	6	6
Annessiectomia bilaterale	0	2	2

3.3. Casi speciali
- Due donne sono state sottoposte a legatura delle tube, entrambe di 35 anni con un numero soddisfacente di figli (>= 3), e la legatura è stata effettuata dopo il loro consenso scritto.

23

- In una donna di 42 anni con anamnesi di cistectomia laparotomica è stata riscontrata una necrosi dell'innesto ad ansa in seguito all'occlusione di una flangia associata. La donna è stata sottoposta a resezione dell'innesto in necrosi con ileostomia.
- Per le 4 pazienti in gravidanza:
- La crelioscopia è stato l'approccio utilizzato per le 2 pazienti nel 1er trimestre.
- La laparotomia è stata l'approccio scelto per le altre 2 pazienti (2° trimestre).
- Tutte queste donne avevano ricevuto un trattamento progestinico intra-vaginale con antispastici.
- alle pazienti in gravidanza nel 2° trimestre è stato prescritto un trattamento tocolitico associato basato su un calcio-antagonista (24SA e 26SA)

3.4. Complicazioni intraoperatorie

Non abbiamo notato alcuna complicazione peroperatoria viscerale o legata all'anestesia. Tuttavia, abbiamo notato 9 casi di rottura accidentale di cisti durante la cistectomia (7 per crelioscopia e 2 per laparotomia).

V. Follow-up post-operatorio

1. Immediato

Il follow-up post-operatorio immediato è stato semplice in 58 donne e complicato in 2:
- Una donna ha presentato un'infezione delle vie urinarie che è progredita bene con il trattamento antibiotico.
- Una donna ha presentato una febbre postoperatoria correlata a venite e controllata dal trattamento con LMWH locale. Nella nostra serie non sono state registrate complicazioni tromboemboliche o peritoneali.

2. Soggiorno post-operatorio

- La degenza post-operatoria variava da 1 a 5 giorni.
- La durata media della degenza ospedaliera dopo la crelioscopia è stata di 2 giorni, così come la durata della degenza ospedaliera dopo laparotomia (Tabella X).

Tabella X: Durata della degenza ospedaliera in base alla via chirurgica

Durata del soggiorno (giorni)	Laparoscopia	Laparotomia	Totale
1	10	5	15
2	13	19	32
3	5	3	8
4	2	2	4

5	1	0	1
Totale	31	29	60

- La durata media della degenza ospedaliera dopo il trattamento conservativo è stata di 2 giorni, così come la durata della degenza ospedaliera dopo il trattamento radicale (Tabella XI).

Tabella XI: Durata della degenza ospedaliera in base al tipo di trattamento

Durata del soggiorno (giorni)	Curatore	Radicale	
1	15	0	15
2	26	5	31
3	8	1	9
4	3	1	4
5	1	0	1
Totale	53	7	60

3. Suite in ritardo
3.1. Recidiva

Tutti i nostri pazienti sono stati riesaminati postoperatoriamente per il controllo e i risultati anatomopatologici.

Abbiamo osservato un caso di recidiva di torsione annessiale su un annesso sano omolaterale dopo 1 anno in una ragazza di 13 anni che era stata sottoposta a detorsione ovarica con ovariopsia.

3.2. Progressi della gravidanza

La gravidanza a 8SA è stata interrotta a 12SA.

La gravidanza con 24 SA è stata portata a termine con un parto vaginale senza problemi.

Le altre due donne incinte sono state perse di vista.

VI. Studio anatomopatologico

Abbiamo ottenuto 43 referti istologici di parti inviate per l'esame anatomopatologico.

1. Appendice contorta

L'infarto emorragico è stato il segno di necrosi istologica descritto in 4 annessi contorti (9,3%).

2. Massa annessiale contorta

Il teratoma cistico maturo è stato il tipo istologico più comune (28,6%), seguito dal cistoadenoma sieroso (16,7%) (Tabella XII).

Tabella XII: Reperti patologici nelle masse annessiali contorte

Numero Percentuale (%)

Cisti del corpo luteo	5	11,9
Teratoma cistico maturo	12	28,6
Cistoadenoma sieroso	7	16,7
Cisti endometriosica	1	2,4
Teratoma maturo + tumore mucinoso di tipo intestinale	1	2,4
Cisti follicolare	2	4,8
Cisti ovarica benigna	5	11,9
Idrosalpinge	1	2,4
Cisti paratubale	8	19
Necrosi dell'appendice	4	9.3

3. Casi speciali

1er caso: Un teratoma cistico maturo con un tumore mucinoso di tipo intestinale con focolai di carcinoma invasivo è stato l'unico tumore maligno riscontrato nella nostra serie in una ragazza di 23 anni senza antecedenti patologici degni di nota, che ha presentato un dolore ipogastrico parossistico per 4 giorni con un'enorme massa solidale di 20 cm all'ecografia e che ha beneficiato di un'annessectomia unilaterale.

2eme caso: Una cisti endometriosica attorcigliata con necrosi emorragica di un'ansa dell'innesto in seguito all'occlusione della flangia è stata riscontrata in una donna di 43 anni, diabetica e ipertesa, G3P3A0, che ha presentato un dolore ipogastrico improvviso con una cisti di 3 cm associata a un versamento di Douglas all'ecografia, senza alcuna sindrome infiammatoria degna di nota alla biologia.

Il paziente è stato sottoposto a cistectomia con resezione dell'innesto e ileostomia.

3eme casi: una cistectomia destra con asportazione dell'ovaio sinistro e rimozione del peritoneo e dell'epiploon è stata eseguita in una paziente di 34 anni senza anamnesi patologica degna di nota, G2P2A0, alla quale è stato riscontrato un tumore ovarico destro ipervascolarizzato sospettato di essere maligno. Il risultato anatomopatologico finale della cistectomia eseguita è stato un cistoadenoma sieroso dell'ovaio destro con campioni peritoneali ed epiploici privi di proliferazione tumorale.

4. Diagnosi differenziale

Quando la diagnosi di torsione è stata invalidata chirurgicamente, sono state riscontrate diverse altre patologie: cisti emorragica del corpo luteo nel 13% dei casi, seguita da cisti endometriosica nel 7% dei casi.

Le cause non ginecologiche includevano l'appendicite acuta in due casi (2%). In altri due casi non è stata riscontrata alcuna patologia (Tabella XIII).

Tabella XIII. Diagnosi differenziali riscontrate intraoperatoriamente in casi di sospetta torsione annessiale

Diagnosi differenziale	Numeri (n=40)	Percentuale (%)
Cisti del corpo luteo sanguinante	13	13
Cisti endometriosica	7	7
Emorragia intracistica	2	2
Ovulazione emorragica	1	1
Altre cisti ovariche benigne*.	9	9
Appendicite acuta	2	2
Infezione utero-annessica	4	4
Allegati : RAS	2	2

* include cistoadenoma sieroso, cistoadenoma mucinoso, cisti follicolare e teratoma maturo

VII. Parte analitica

1. Fattori prognostici per la torsione annessiale

L'analisi si è basata sui 60 casi di torsione annessiale confermati chirurgicamente nel nostro studio. Cinque annessi avevano un aspetto necrotico al momento dell'esplorazione chirurgica, quattro dei quali sono stati confermati istologicamente. I risultati dei fattori associati alla necrosi degli annessi sono riportati nella Tabella XIV.

Le cisti più grandi erano significativamente associate alla necrosi (70 vs 150; $p=0,05$).

Tabella XIV: Fattori predittivi per la necrosi degli annessi

Fattore	Nessuna necrosi(n=39)	Necrosi(n=4)	p
Età	26.9 ±9.6	31.5 ±5.06	0,354
Tempo intercorso tra l'insorgenza del dolore e Consultazione d'emergenza > 24 ore su 24	11(30,6%)	1(33,3%)	1
Blocca_scadenza_di_ammissione	3.3[1-3.5]	2.03[0.47-3.5]	0.749
T> 38°	4(10,5%)	0,00%	1
WBC>10000E/mm3	15(45,5%)	3(75%)	0,34
CRP>5 mg/L	7(46,7%)	1(50%)	1
Effusione di Douglas	17(43,6%)	2(50%)	1

Dimensione della cisti (mm)	70[57-120]	150[80-220]	**0,05**
Cisti >5cm	35(94, 6%)	2(66, 7%)	0,214
Numero di giri	2[1-3]	2[1,25-3,5]	0,751

2. Confronto clinico-biologico-radiologico e operativo

2.1. Fattori anamnestici correlati alla torsione annessiale :

Durante il periodo di studio, 100 pazienti sono state ricoverate in sala operatoria con sospetta torsione annessiale. La diagnosi di torsione è stata confermata intraoperatoriamente in 60 pazienti (60%).

Le caratteristiche generali dei due gruppi di pazienti con torsione (n=60) e senza torsione (n=40) sono riportate nella Tabella XV. La popolazione del gruppo con torsione aveva un'età media più giovane (25,92 ±9,09 vs 28,6 ±9,4), ma questa differenza di età non era significativa (p=0,158). Le pazienti nullipare erano presenti nel 65% dei casi in entrambi i gruppi. La torsione era significativamente più frequente durante la fase follicolare del ciclo (75% vs 47,1%; p=0,045). I risultati per le restanti fasi del ciclo (periodo ovulatorio e fase luteale) erano comparabili, senza differenze significative. Cisti precedenti, cistectomia e torsione annessiale erano simili in entrambi i gruppi. La nozione di un episodio doloroso simile non era significativamente più frequente nel gruppo della torsione (13,3% nel gruppo della torsione vs 12,5% nel gruppo della torsione invalidata; p=0,903).

Tabella XV: Fattori anamnestici associati a torsione annessiale

	Nessuna torsione (n=40)	Torsione (n=60)	P
Età (anni)	28.6 ±9.4	25.92 ±9.09	0,158
Giovane ragazza	19 (47.5,9%)	37 (61.7%)	0,162
Gestite	0,5 [0-2]	0 [0-2,25]	0,946
Nulligest	23 (57.5%)	38 (63.3%)	0,558
Parite	0 [0-2]	0[0-0,75]	0,8
nullipare	26 (65%)	39 (65%)	0,999
Fase del ciclo mestruale			
Follicolare	5 (21.7%)	15 (48.4%)	**0,045**
Ovulazione	5 (21.7%)	4 (12.9%)	0,472
Luteale	13 (56.5%)	12 (38.7%)	0,194
Sfondo			
Cisti	5 (12.5%)	8 (13.3%)	0,903
Cistectomia	4 (10%)	4 (6.7%)	0,710

Episodi dolorosi	5 (12.5%)	8 (13.3%)	0,903

2.2. Fattori clinico-biologici associati alla torsione annessiale

I dati clinici e biologici dei due gruppi sono riportati nella Tabella II. Il dolore pelvico era il segno clinico comune in entrambi i gruppi. Non c'erano differenze significative nelle costanti generali ed emodinamiche al momento del ricovero: temperatura, pressione sanguigna e frequenza cardiaca. Il dolore è stato generalmente descritto come localizzato sul lato destro in entrambi i gruppi (43,5% vs 56,5%; p=0,512). La diffusione del dolore non era significativa in nessuno dei due gruppi (20% per entrambi). Il guarding addominale è stato osservato raramente in entrambi i gruppi (17,5% vs 23,3%), senza alcuna differenza significativa (p=0,483). Il vomito era significativamente associato alla torsione annessiale nella nostra serie (20% vs 41,7%; p=0,024).

Nessun fattore biologico è stato associato alla comparsa di torsione (**Tabella XVI**).

Tabella XVI: Fattori clinico-biologici associati alla torsione annessa

	Nessuna torsione (n=40)	Torsione (n=60)	P
Segni particolari : AEG	5 (12.5%)	11 (18.3%)	0,436
Temperatura (°C)	37,1+0,43	37,14+0,42	0,896
Febbre T > 38° C	2 (5.3%)	6 (10.2 %)	0.475
FC (bpm)	82,49+12,1	80,14+8,84	0,308
Localizzazione del dolore			
FID	20 (50%)	25 (42.4%)	0,512
FIG	11 (27.5%)	19 (32.2%)	0,656
Ipogastrico	7 (17.5%)	12 (20,3%)	0,755
Insorgenza improvvisa	28 (70%)	43 (71.7%)	0.717
Difesa addominale	7 (17.5%)	14 (23.3%)	0,483
Dolore diffuso	8 (20%)	12 (20%)	0,999
Segni associati : Nausea	5 (12.5%)	4 (6.7%)	0,478
Vomito	8 (20%)	25 (41.7%)	**0,024**
Check-up biologico			
CRP > 5 mg/l	12 (54.5%)	13 (48.1%)	0.656
Iperleucocitosi (>10000)	19 (51.4%)	28 (52.8%)	0.89

2.3. Fattori ecografici associati alla torsione annessiale

Quando erano presenti cisti, la loro dimensione mediana era significativamente maggiore nei casi di torsione (p=0,004).

La torsione era significativamente più comune nelle cisti a contenuto anecogeno (69,5% vs 34,8%; p=0,004) e significativamente meno comune nelle cisti a contenuto iperecogeno (27,3% vs 10,2%; p=0,044) o a contenuto eterogeneo (25,8% vs 8%; p= 0,05). La presenza di versamento di douglas non era significativamente associata alla torsione annessiale (Tabella XVII).

Tabella XVII: Fattori ecografici associati alla torsione annessiale

	Nessuna torsione (n=40)	Torsione (n=60)	P
L'ovaio aumenta di dimensioni	19 (47.5%)	34 (56.7%)	0,348
Stroma iperecogeno	7 (17.5%)	5 (8.3%)	0.213
Layout periferico di follicoli	8 (20%)	7 (11.7%)	0.253
Posizione anomala dell'appendice/cisti	4 (10%)	5(8.3%)	1
Presenza di cisti	33 (82.5%)	49 (81.7%)	0,915
Posizione			
Legge	19 (57.6 %)	24 (43.6%)	0,205
A sinistra	13 (39.4%)	19 (34.5 %)	0,647
Dimensione della cisti	60 [45,25-77,75]	82,5 [58,5-107,5]	**0,004**
Cisti > 5 cm	23 (67.6%)	44 (89.8%)	**0.012**
Contenuto			
Solido	2 (6.5%)	5 (10%)	0,696
Cistica	13 (41.9%)	23 (46%)	0,5
Solido cistico	4 (12.9%)	14 (28%)	0,078
Eterogeneo	8 (25.8%)	4 (8%)	**0.05**
Ecogenicite			
Anecogene	18 (54.5%)	41 (83.7%)	**0,004**
Ipoecogeno	6 (18.2%)	3 (6.1%)	0,147
Iperecogeno	9 (27.3%)	5 (10.2%)	**0,044**
Ridotta vascolarizzazione / assente	3 (7.5%)	6 (10.2%)	0,738
Segno Whirlpool	3(7.5%)	7(11.9%)	0.736
Presenza di versamento	20 (50%)	32 (53.3%)	0,744
Bassa abbondanza	15 (78.9%)	25 (80.6%)	0,999
Abbondanza medio-grande	4 (21%)	6 (19.4%)	

2.4. Fattori istologici associati alla torsione annessiale

I teratomi cistici maturi e le cisti paratubali sono stati i due tipi istologici significativamente associati alla torsione annessiale ((28,6% vs. 3,8%; p=0,012) e (0% vs. 8%; p=0,02) rispettivamente, a differenza delle cisti emorragiche del corpo luteo e delle cisti endometriosiche che sono state significativamente più osservate nel gruppo affetto da torsione (34,6% vs.

11,9%; p=0,024) e (23,1%vs2,4%; p=0,011) rispettivamente.

Il cistoadenoma sieroso è stato osservato in entrambi i gruppi senza differenze significative (Tabella XVIII).

Tabella XVIII: Fattori istologici associati alla torsione annessa

	Nessuna torsione (n=40)	Torsione (n=60)	P
Cisti del corpo luteo sanguinante	13(41.9%)	5(11.9%)	**0,003**
Cistoadenoma sieroso	4 (15,4%)	7(16.7%)	1
Cisti endometriosica	7(22.6%)	1(2, 4%)	**0,009**
Teratomemoria cistico	1(3.8%)	12(28.6%)	**0.012**
Cisti paratubale	0 (0%)	8(19%)	**0,02**

I fattori significativamente associati alla torsione sono stati :

- La fase follicolare del ciclo
- Vomito
- La presenza di cisti anecogene
- Cisti di dimensioni > 5 cm
- Teratoma cistico maturo
- Cisti paratubale

4 DISCUSSIONE

I. Epidemiologia

1. Frequenza di torsione delle appendici

La torsione annessiale è una causa rara di dolore pelvico nelle donne, classificata 5ème (12) con una frequenza del 2-3% di tutte le emergenze ginecologiche nella popolazione pediatrica (20,21) e del 2,7-7% nelle donne in età fertile (4) (6) (23).

L'incidenza della torsione annessiale è di 6 su 100.000 donne (24) secondo un ampio studio pubblicato nel 2021, ma l'incidenza reale di questa condizione nella popolazione generale rimane poco conosciuta perché la diagnosi definitiva viene fatta solo durante l'intervento chirurgico (4).

2. Età

La torsione degli annessi si verifica essenzialmente durante il periodo di attività genitale femminile (25) (6) (26) (24). Tuttavia, può colpire le età estreme della vita, dal periodo neonatale (27) (28) al periodo postmenopausale (29). Nella nostra serie, l'età delle pazienti variava da 13 a 53 anni, con un'età media di 25,92 ±9,09 anni. I nostri risultati sono coerenti con quelli riportati in letteratura (Tabella XX).

Tabella XIX: Età media delle pazienti con diagnosi di torsione annessiale secondo i dati della letteratura

Autore	Popolazione (n=)	Età media
Ashwal (30) (2015)	208	27
Feng (31)(2017)	78	29,4
Melcer (1)(2018)	111	29,8
Resapu(32)(2019)	76	27
Moro(33) (2020)	315	30
Duan(34)(2021)	72	34
La nostra serie (2022)	60	25,9

Melcer, nella sua serie di 199 casi di donne ricoverate per sospetta torsione annessiale, ha riportato che le pazienti con torsione annessiale erano significativamente più anziane rispetto alle pazienti senza torsione (29,8 ± 9,2 contro 26,8 ± 8,1 anni, rispettivamente, p=0,02). Nel nostro studio, l'età media delle pazienti era di 28,6 ±9,4 anni per il gruppo senza torsione e di 25,92 ±9,09 anni per il gruppo con torsione confermata, con un valore di p=0,158, quindi questa differenza non era significativa. Il nostro risultato è simile a quello di Guven (35) e Gu (36).

3. Parite

La parità può avere un ruolo indiretto nel determinismo della torsione, secondo Lee Ch_(37) lo sforzo posto sulla parete addominale da gravidanze ripetute porta al rilassamento e a una certa atonia dei muscoli addominali, favorendo così la torsione. Nello studio di VijayalaKshmi (38) , il 77,8% delle pazienti aveva almeno 2 figli. D'altra parte, Bardlin (11) ha osservato nella sua serie che il gruppo di donne nullipare, che presentava il 60,9% di tutti i casi, era significativamente associato alla torsione annessiale, contrariamente a Guven (35) che non ha rilevato alcuna differenza significativa (0,35±0,67 vs 0,15±0,34). Nella nostra serie, non è stata rilevata alcuna associazione significativa tra la nulliparezza e l'insorgenza di torsione annessiale (Tabella XXI).

Tabella XX: Percentuale di donne nullipare per serie

Autore	Popolazione (n=)	Percentuale (%)
Vijayalakshmi(2014) (38)	18	11,10
Resapu (2019) (32)	76	61,00
Bradin (2020) (11)	228	60,90
Meyer (2021) (39)	93	57
La nostra serie	60	65

4. Fase del ciclo mestruale

Bharathi (40) ha osservato che la torsione annessiale si verificava in modo significativo durante il periodo post-ovulatorio e ha spiegato questo fenomeno con la congestione venosa pelvica durante questo periodo che può essere all'origine della torsione. Nel suo studio comparativo, Meyer (41) ha calcolato il numero di giorni dall'ultima mestruazione e ha riscontrato un numero medio di 21±21 per il gruppo con torsione confermata e 21±13 per il gruppo con torsione confermata, senza alcuna differenza (p=0,924).

Nella nostra serie, la metà delle pazienti (48,4%) è stata consultata durante il periodo follicolare, la cui associazione con l'insorgenza di torsione annessiale è risultata significativa (p=0,045); ciò potrebbe essere spiegato dall'aumento delle dimensioni dell'ovaio dovuto all'aumento delle dimensioni dei follicoli durante questa fase e all'evoluzione del follicolo maggiore che potrebbe raggiungere i 3 cm e causare la torsione.

5. Antecedenti

5.1. Anamnesi di patologia annessiale

5.1.1. Storia di cisti ovariche

La cisti ovarica è la patologia annessiale più incriminata nella torsione annessiale (22) (25) (29). Le cisti ovariche di dimensioni superiori a 5 cm sono note per essere un fattore di rischio per la torsione annessiale (22) (25) (26) (42) (43) , tuttavia la torsione può verificarsi con masse di qualsiasi dimensione, che vanno da 1 cm a 30 cm secondo Huang (25) (Tabella XXII).

Tabella XXI: Frequenza di cisti ovariche antecedenti per serie

Autore	Popolazione (n=)	Percentuale (%)
Huchon (2012) (18)	29	58,60
Resapu (2019) (32)	76	71
Moro (2020) (33)	315	10,60
La nostra serie (2022)	60	13,30

Huchon (44) ha osservato nella sua serie comparativa che la cisti ovarica antecedente era significativamente associata alla torsione annessiale (34 casi su 142; p=0,04). Nella nostra serie non è stata notata alcuna associazione significativa tra cisti antecedente e torsione annessiale (p=0,903).

In caso di precedente cistectomia, l'incidenza di torsione ovarica varia dal 2 al 15% nelle pazienti sottoposte a trattamento chirurgico di masse annessiali (25) (33). Nella nostra serie, non è stata notata alcuna associazione significativa tra la cistectomia precedente e l'insorgenza di torsione annessiale (p=0,71).

5.1.2. Sindrome dell'ovaio policistico :

La sindrome dell'ovaio policistico è stata identificata come un fattore di rischio per la torsione annessiale (4) (26) (15). Questa condizione è stata implicata nel 7%-19% dei casi di torsione(32) (45) . Secondo Warwar (42) , il peso dell'ovaio extra e la modifica della sua normale anatomia ne provocano la torsione sul suo peduncolo vascolare, il legamento lombo-ovarico. I soggetti con ovaio policistico hanno un rischio non modificabile di recidiva di torsione simile a quello dei bambini e delle adolescenti, poiché il meccanismo patologico causale permane anche dopo la semplice detorsione (30). In una serie di casi pubblicati da Brady (46), una donna di 28 anni con PCOS è stata sottoposta a torsione ovarica unilaterale sette volte in un periodo di otto anni.

5.1.3. Anamnesi di torsione annessiale

Una storia di torsione annessiale è considerata da Ssi-Yan-Kai (15) il fattore di rischio più associato all'insorgenza della torsione. La recidiva può verificarsi a qualsiasi età (6) (Tabella XXIII).

Tabella XXII: Frequenza della torsione annessiale antecedente per serie

Autore	Popolazione (n=)	Percentuale (%)
Ashwal (2015) (30)	208	29,80

Resapu (2019) (32)	83	22,90
Bardin (2020) (11)	76	3
Moro (2020) (33)	228	24,10
Meyer (2021) (39)	93	5.4
Meyer (2022) (41)	315	4,70
La nostra serie (2022)	60	1.7

Dasgupta (47) ha riportato in una revisione della letteratura che il rischio di recidiva di torsione nella popolazione pediatrica varia dal 5 al 18%. Le possibili spiegazioni del rischio di recidiva includono l'eccessiva mobilità degli annessi, la congestione venosa degli stessi e i movimenti bruschi del corpo. Secondo Huang (25), il rischio di recidiva potrebbe successivamente diminuire con l'accorciamento del legamento quando le ragazze raggiungono la pubertà.

Pansky (48) ha dimostrato in uno studio retrospettivo che le donne che hanno avuto un primo episodio di torsione con un ovaio di aspetto morfologico normale avevano più probabilità di avere un altro episodio di torsione (60%) rispetto a quelle con un annesso patologico (8%).

Nella nostra serie abbiamo notato un caso di recidiva di torsione annessiale su un annesso sano dopo 1 anno in una ragazza di 13 anni che ha beneficiato della detorsione dell'ovaio con ovariopsia.

5.1.4. Torsione degli annessi e procreazione medicalmente assistita (PMA)

L'induzione dell'ovulazione e la sindrome da iperstimolazione ovarica sono state descritte come fattori di rischio per la torsione annessiale (26) (42) (43) (44). Il rischio di torsione associato alla sindrome da iperstimolazione ovarica aumenta ulteriormente in gravidanza, dal 2,3% al 16% in uno studio retrospettivo di Mashiach (4) su 201 cicli stimolati. L'induzione può provocare cisti follicolari ovariche multiple di grandi dimensioni che causano l'allargamento degli annessi e quindi comportano un aumento del rischio di torsione(15,25) (8).

Nella nostra serie, una paziente incinta a 9 settimane di gestazione dopo inseminazione artificiale intrauterina (IAC) con lo sperma del partner è stata ricoverata con il sospetto di una torsione annessiale confermata chirurgicamente. È stata sottoposta a detorsione intraoperatoria degli annessi, che sono risultati contorti senza alcuna patologia annessiale associata.

5.2. Precedente legatura delle tube

La legatura delle tube può essere un fattore di rischio per la torsione annessiale (22) (4) (15). È stata incriminata nella genesi della torsione per la prima volta nel 1952 da NOVAK (49). Il danno alla mesosalpinge in seguito all'elettrocoagulazione può portare a una maggiore lassità della tuba con conseguente torsione. Inoltre, il volume della tuba può essere aumentato dalle secrezioni tubariche che impediscono lo svuotamento nell'utero, con conseguente idrosalpinge (19172).

Il tasso di sterilizzazione tubarica in serie di donne con torsione ovarica varia tra il 3,9% e il 29% in letteratura (22). Huchon (18) ha riportato nella sua serie che la legatura tubarica non era significativamente associata alla torsione annessiale. Asfour (22), invece, nella sua revisione ha rilevato che la legatura delle tube era un fattore di rischio per una successiva torsione annessiale. Nella nostra serie, due donne (3,3%) avevano una storia di legatura delle tube.

5.3. Precedente isterectomia

La torsione annessiale può verificarsi dopo isterectomia interanale, con una frequenza del 3% secondo la letteratura (17) (33).

Ogawa (29) ha riportato che la torsione di un annesso sano è relativamente frequente dopo isterectomia laparoscopica e coinvolge più spesso il lato destro. Il conseguente aumento della mobilità degli annessi e la mancanza di supporto strutturale per l'utero dovuta all'isterectomia possono contribuire alla torsione.

Nella nostra serie, una singola paziente di 40 anni ha presentato una torsione annessiale su un annesso sano ed è stata precedentemente sottoposta a isterectomia totale interannessiale per via laparotomica. È stata sottoposta a ovariopsia con perforazione ovarica laparotomica.

5.4. Storia di dolore pelvico episodico

Secondo Moro (33) , il 15,6% delle pazienti ha riferito un episodio di dolore simile. Nella serie di Baron(50) , 30 donne (38,5%) hanno riferito di aver avuto un dolore precedente e 38 donne (48,7%) hanno consultato in precedenza un medico per un dolore o una cisti ovarica. Talvolta, questi episodi di dolore possono verificarsi diversi giorni o mesi prima del ricovero, indicando una torsione parziale precedente (26). La durata tra questi episodi dolorosi variava da 1 a 210 giorni secondo la revisione di Huang (25). Nella nostra serie, solo 8 pazienti hanno riferito un episodio precedente simile e simili episodi di dolore non erano significativamente associati a una successiva torsione (p=0,903).

II. STUDIO CLINICO Studio clinico

La diagnosi clinica di torsione annessiale rimane difficile, non solo per il polimorfismo anatomo-clinico, ma anche per le diagnosi differenziali con altre emergenze ginecologiche e chirurgiche. Tuttavia, l'assenza di segni patognomonici non deve oscurare il valore di un buon interrogatorio e di un esame clinico accurato e meticoloso.

1. Quadro clinico :

1.1. Segnali funzionali

- Dolore pelvico :

Il sintomo più comune nelle donne che presentano una torsione annessiale è il dolore pelvico acuto, rappresentato dal 77,8% al 100% secondo la letteratura(1,38) . Il dolore è dovuto all'occlusione del peduncolo vascolare, con conseguente ipossia; in generale, i sistemi venoso e linfatico sono colpiti per primi perché si trovano a una pressione più bassa (4) , Questo dolore può essere descritto come costante o intermittente, in quanto l'ovaio può torcersi e distorcersi nel tempo e può torcersi con un improvviso cambiamento di posizione o di attività (4) (51) (Tabella XXIV) .

Tabella XXIII: Frequenza del dolore pelvico acuto riportato come motivo principale di consultazione in letteratura

Autore	Popolazione	Percentuale (%)
Vijayalakshmi(2014) (38)	18	77,80
Nair (2014) (40)	70	95,70
Ashwal (2015) (30)	208	96,20
Melcer (2018) (1)	111	100
Wang (2019) (52)	174	79.82
Moro (2020) (33)	315	96,80
La nostra serie (2022)	60	98.3

Il dolore è generalmente a insorgenza improvvisa, come descritto in letteratura (18) (44,51) (2). Nella nostra serie, è stato osservato nel 71,7% dei casi, ma questa modalità di insorgenza non era significativamente associata alla torsione annessiale (p=0,71), a differenza di Huchon (44) che ha osservato che l'insorgenza brusca e/o il brusco peggioramento del dolore erano significativamente associati alla torsione annessiale (p=0,03).

Il dolore durante la torsione annessiale è generalmente localizzato su un solo lato (18) (44) (4). Nella nostra serie, il dolore era localizzato in 48 pazienti, cioè nell'80% dei casi, un dato simile a quello di Ashwal (30) e Huchon (18) che hanno osservato che il dolore spontaneo unilaterale era significativamente associato alla diagnosi di torsione annessiale (p=0,0005).

La torsione si verifica più frequentemente a destra, con una frequenza media del 55% secondo la letteratura (53).Questo potrebbe probabilmente essere spiegato dalla vicinanza dell'ovaio sinistro al colon sigmoideo, che è relativamente fisso, rispetto all'eccessiva mobilità del c^cum e dell'ileo a destra (4,6,25).Questa spiegazione è stata trovata anche nel meccanismo di torsione degli annessi sani dopo isterectomia secondo Ogawa (29) (Tabella XXV).

Tabella XXIV: Frequenza del dolore laterale destro nella torsione annessiale, per serie

Autore	Popolazione (n=)	Percentuale (%)
Garner (2016)	302	62,90
Melcer(2018) (1)	111	55,90
Ghulmiyyah (2019) (10)	10	40
Moro (2020) (33)	315	60,30
Tzur(2021)(54)	19	47,40
La nostra serie (2022)	60	42,40

Nella nostra serie il dolore è stato riscontrato nel 42,4% dei casi sul lato destro, senza alcuna differenza significativa se si confronta questa frequenza con il gruppo della torsione confermata, dove il dolore sul lato destro è stato riscontrato nel 50% dei casi (p=0,51). I nostri risultati sono paragonabili a quelli di Melcer(1), che non ha riscontrato alcuna differenza significativa tra i 2 gruppi di torsione confermata e confermabile (62/111 casi o (55,9%) vs 43/88 casi o 48,9%; p=0,6).

• Segni associati :

I segni generalmente associati al dolore pelvico sono nausea e vomito spiegati da un riflesso vagale secondario al dolore intenso (55) o da un'irritazione peritoneale (33). In letteratura, la frequenza di questi segni varia dal 34,1% al 63,5% (30,34), ma differisce significativamente in base all'età, con una marcata incidenza nella popolazione pediatrica (6).

Per alcuni autori (1,44,56), il vomito è stato considerato un segno predittivo significativo di torsione annessiale, per altri (53), (5),(11), il vomito non era un segno significativamente associato alla torsione e può essere riscontrato in varie altre patologie digestive, urinarie e ginecologiche come appendicite, gravidanza extrauterina, colite, necrosi di un leiomioma e rottura di cisti ovariche (2,4). Nella nostra serie, il vomito era significativamente associato alla torsione annessiale (20% vs 41,7%; p=0,024). L'analisi di regressione logistica binaria ha concluso che solo il vomito era associato alla torsione annessiale (OR= 0,35, CI95%=0,138-0,886).

Segni urinari, come la disuria, sebbene non specifici (4), erano presenti nel

38

5,3%-8,6% dei casi (30) (38) (40), e nel 3,3% dei casi della nostra serie.

Anche la leucorrea e la metrorragia sono state osservate raramente nella torsione annessiale. Nella nostra serie, solo una paziente su 60 ha presentato metrorragia al momento della consultazione d'emergenza.

Huchon (44) ha dimostrato nel suo studio prospettico multicentrico che la presenza di leucorrea o metrorragia permetteva di escludere le pazienti a basso rischio senza torsione (valore predittivo negativo, 99,7%).

1.2. Esame fisico

A causa delle sue manifestazioni aspecifiche, la diagnosi di torsione annessiale può essere difficile, il che ritarda la gestione appropriata e aumenta la probabilità di ischemia e necrosi irreversibili, rendendo essenziale un esame fisico approfondito e meticoloso.

- segni generali :

I risultati dell'esame generale durante la torsione degli annessi sono generalmente aspecifici (4). La febbre non è un segno associato alla torsione secondo la letteratura, infatti la sua prevalenza varia dall'1,8 al 20% (1,2,9, 40, (38),43).Nel nostro studio, la febbre generalmente moderata di 38,5° è stata osservata in 6 pazienti, cioè nel 10,2% dei casi, e non era significativamente associata alla necrosi degli annessi (p=1). Questo risultato è in linea con quello di Mazouni (57).

La tachicardia e l'ipertensione arteriosa si osservano generalmente nei casi di dolore intenso, ma queste caratteristiche non sono significative nei casi di torsione annessiale (4). Nella nostra serie, le condizioni generali sono state mantenute nell'81,7% dei casi e la tachicardia è stata osservata solo in 4 pazienti (6,8% dei casi).

- Segni fisici :

La tenerezza pelvica si riscontra con una frequenza variabile che va dal 25,7% (40) all'84,1% (30). Nella nostra serie, la tenerezza pelvica è stata riscontrata nel 76,7% dei casi di torsione.

Una massa addomino-pelvica può essere riscontrata alla palpazione addominale ed è correlata a una cisti o a un ovaio ingrossato (57). La sua frequenza varia in letteratura dal 9,8% (30) al 47% (43). Moore (4) ha dimostrato, in uno studio retrospettivo su 167 pazienti, che fino al 75% dei casi di torsione annessiale accertata non presentava una massa palpabile. Nella nostra serie, una massa era palpabile in 2 casi (3,4% dei casi).

Il tocco pelvico, vaginale e/o rettale può aiutare a guidare l'esaminatore verso

39

una patologia genitale. L'esame pelvico combinato con la palpazione dell'addome è spesso difficile a causa dell'intenso dolore suscitato dalla palpazione del cul de sac del Douglas, che il più delle volte indica un'irritazione peritoneale (4) .

Secondo la letteratura, tutti questi segni isolati o associati non sono specifici della torsione annessiale (53) (4) (57), a parte l'eccezionale segno di "WAERNEK" citato da Horovitz (58), definito dalla percezione di una massa dolorosa e palpabile durante l'esame pelvico corrispondente al peduncolo contorto, e che è difficile da identificare soprattutto con l'esame rettale (58).

III. Esami supplementari
1. Test biologici

Ad oggi, non è stato trovato alcun marcatore biologico che confermi la diagnosi di torsione annessiale (35). Diversi marcatori di ischemia, infiammazione e infezione sono stati oggetto di numerosi studi e trial clinici nel tentativo di trovare un'associazione significativa tra i loro livelli e la torsione annessiale. Il dosaggio della beta hCG è indispensabile per escludere una gravidanza extrauterina (15).

1.1. Conteggio delle formule del sangue

Questo è l'unico test biologico che viene costantemente eseguito in caso di emergenza. La maggior parte dei risultati di laboratorio è normale, anche se, secondo la letteratura, una lieve leucocitosi può essere osservata nel 20%-63,3% dei pazienti (1,6,30,34,40,51), e un'iperleucocitosi può essere osservata in assenza di febbre (43). Nella nostra serie, abbiamo osservato un'iperleucocitosi superiore a 10000 elementi/mm3 in 28 pazienti, ovvero nel 52,8% dei casi, ma questa non era significativamente associata né alla torsione annessiale (p=0,89) né alla necrosi di una torsione annessiale (0,34). Il nostro risultato è in contrasto con quello di Melcer (1), che ha osservato che un'iperleucocitosi > 11000 elementi/mm3 era significativamente associata alla torsione annessiale (p=0,01).

1.2. Proteina C reattiva :

Questo esame non è un esame di routine, infatti, per la nostra serie, abbiamo trovato 12 casi o il 20,4% in cui la CRP è stata giudicata positiva, raggiungendo 148,2 e 165,5 in 2 casi di donne febbricitanti, l'elevazione della CRP non era significativamente associata alla torsione annessiale (6,15mg/l [2,2-31,85]; 3,55 [0,962-10,36] p=0,601). Il nostro risultato non è in accordo con quello di Huchon (44) che ha osservato che una CRP<20mg/l era significativamente associata alla torsione annessiale (p=0,002) e con quello di Bakacak (59) che nel suo studio ha osservato che il livello di CRP era significativamente più alto nel gruppo della torsione annessiale (0,91 ± 0,18 vs. 0,39 ± 0,06 mg/l; p<0,001).

2. Esami radiologici

2.1. Ecografia pelvica

L'ecografia pelvica è l'esame di prima linea per la diagnosi di torsione annessiale (10,11,13,60). È relativamente poco costosa, non comporta l'esposizione a radiazioni ionizzanti ed è ampiamente disponibile, ma dipende dall'utente e può essere difficile da eseguire in pazienti con dolore significativo (43).

L'ecografia pelvica è stata utilizzata per diagnosticare la torsione annessiale nel 26%-79% dei casi in letteratura (40) (14,43) con una sensibilità del 79% e una specificità del 76% secondo gli autori (60).

Nel nostro studio, le ecografie sono state eseguite per via transaddominale in tutti i pazienti e 8 pazienti hanno beneficiato di un'ulteriore ecografia transvaginale. Il numero ridotto di ecografie transvaginali nella nostra serie si spiega con l'alta frequenza di ragazze giovani nella nostra serie (61,7% dei casi).

2.1.1. Aumento del volume ovarico

L'aumento del volume ovarico è il segno ecografico chiave nella diagnosi di torsione annessiale (43,61,62). Una differenza di volume di 5 ml tra l'ovaio patologico e quello normale è considerata significativa da alcuni autori (62). Un ovaio contorto può essere arrotondato e ingrandito rispetto all'ovaio controlaterale, a causa di un redema o di una congestione vascolare e linfatica (25). (Figura 17).

Un ovaio ingrossato è stato riscontrato nel 32,7-79,1% delle serie (6) (32,33) e con una dimensione media che varia da 61 a 77 mm secondo la letteratura. (6) (33) (30) . Nella nostra serie, un ovaio ingrossato è stato osservato nel 56,7% dei casi.

Un ovaio ingrossato e ridematoso era significativamente associato alla torsione annessiale (37,5% vs 80% ;p=0,03) secondo lo studio di Ghulmiyyah (10). Questo risultato concorda con quello di Melcer (1) e contraddice i risultati della nostra serie, infatti questo segno non era significativamente associato alla torsione annessiale (47,5% vs 56,7% ;p=0,348).

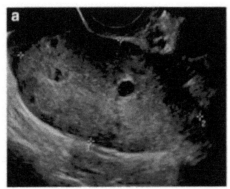

Figura 17. Torsione dell'ovaio destro allo stadio redematoso in una donna di 44 anni di età. La sezione ecografica longitudinale mostrava un ovaio ingrossato di 7 cm nella sua dimensione maggiore(61).

In una revisione della letteratura recente, pubblicata nel marzo 2021, Strachovski (2) ha riassunto cinque criteri che indicano un ingrossamento delle ovaie in caso di torsione annessiale (Figura 18).

Table 3: Manifestations of an Edematous Ovary at Imaging

Asymmetric enlargement (largest diameter >5 cm when no ovarian lesion is present)

Thicker than expected ovarian parenchyma surrounding a lesion

Peripheralization of follicles ("string of pearls" sign, "follicular ring" sign)

Free fluid adjacent to the ovary

Changes of parenchymal edema with or without hemorrhage (heterogeneity at US, increased attenuation at noncontrast CT, increased T1-weighted signal intensity at MRI)

Tabella 3: Manifestazioni di una malattia edematosa

Ovaio in fase di imaging

Ingrossamento asimmetrico (diametro maggiore >5 cm in assenza di lesioni ovariche)

Parenti ovarici più sottili del previsto che circondano una lesione

Nazione periferica di follicoli (segno "filo di perle"... segno "anello follicolare")

Fluido libero adiacente all'ovaio

Cambiamenti dell'edema parenchimale con o senza emorragia (eterogeneità agli US, aumento dell'attenuazione alla TC senza contrasto, aumento dell'intensità del segnale pesato con T1 alla RM).

Figura 18. Manifestazioni radiologiche di un ovaio ingrossato secondo Strachovski (2)

2.1.2. Stroma iperecogeno :

Lo stroma iperecogeno è il secondo segno ecografico da ricercare e può

42

indicare un infarto emorragico (43); la sua frequenza in letteratura varia dal 2,4% al 25% (30) (57); nella nostra serie, lo stroma iperecogeno è stato riscontrato nell'8,5% dei casi, senza differenze significative rispetto al gruppo con torsione riparata chirurgicamente (17,5%; p=0,213).

All'ecografia, il redema stromale e l'emorragia possono apparire come aree centrali ipoecogene o eterogenee (Figura 19).

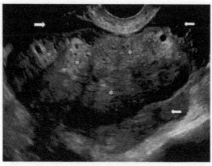

Figura 19. Immagine ecografica transvaginale che mostra iperecogenicità focale sparsa (*), indicando un infarto emorragico, confermato all'istologia (2).

2.1.3. Disposizione periferica dei follicoli

In caso di torsione degli annessi, i follicoli possono essere disposti perifericamente perché spinti dal redeme dello stroma ovarico (53). Secondo Ssi-yan-kai (61), un ovaio ingrossato con uno stroma follicolare centrale e follicoli periferici multipli uniformi di 8-12 mm è associato alla torsione nel 74% dei casi. La disposizione periferica dei follicoli è stata riscontrata nel 37% dei casi nello studio di Resapu (32) e nell'11,7% dei casi nella nostra serie. Nella nostra serie non è stata riscontrata un'associazione significativa tra disposizione periferica dei follicoli e torsione annessiale (Figura 20).

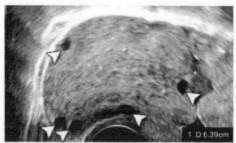

Figura 20. Immagine ecografica transvaginale che mostra un ovaio ingrossato di 6,39 cm con follicoli ipoecogeni periferici (punte di freccia) coerenti con la torsione(43).

2.1.4. Segno dell'anello follicolare

Un altro reperto ecografico è quello di un bordo iperecogeno che circonda i follicoli antrali spostati perifericamente, noto come "segno dell'anello", con un bordo spesso da 1 a 2 mm. Questo segno è meglio visibile con l'ecografia endovaginale (43,61). Strachovski (2) ha riferito che questo aspetto è dovuto a capillari ingorgati ed emorragia nello strato tecale dei follicoli periferici. Il segno dell'anello follicolare è stato osservato nel 38,1% dei pazienti nella serie di Moro (33) e nell'80% dei pazienti nello studio di Sibal (63) (Figura 21). Questo segno non è stato menzionato nei referti ecografici dei nostri pazienti.

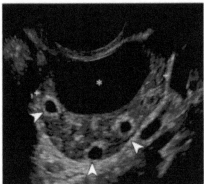

Figura 21. Immagine ecografica transvaginale che mostra una cisti ovarica singola di 2,8 cm con aumento dell'ecogenicità che circonda numerosi follicoli (punte di freccia): Segno dell'anello

2.1.5. Posizione anomala degli annessi / cisti

Un'inclinazione dell'utero o una posizione insolita dell'ovaio, molto alto o anteriore all'utero, molto basso o posteriore all'utero o mediano, sono segni sospetti di torsione (2). Secondo Moro (33), ciò è stato riscontrato nel 34% dei 315 casi di torsione confermata. Resapu (32) ha riscontrato una posizione anomala degli annessi nel 54% delle pazienti con diagnosi di torsione annessiale. Nella nostra serie, gli annessi avevano una posizione anomala nell'8,5% dei casi e questo segno non era significativamente associato alla torsione annessiale (p=1), a differenza di Ghulmiyyah (10) e Feng (31) che nei loro studi hanno riscontrato che una posizione anomala dell'ovaio era significativamente associata alla torsione annessiale (Figura 22) (Figura 23).

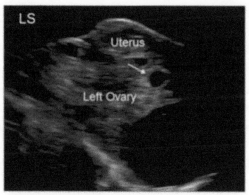

Figura 22. Ovaio attorcigliato racchiuso nel cul de sac di Douglas, con utero

avanti (63).

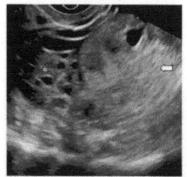

Figura 23 Ecografia transvaginale degli annessi destri che mostra un ovaio destro normale (*) adiacente a un ovaio sinistro contorto e ridematoso (freccia) (2).

2.1.6. Presenza di una massa annessiale

L'ecografia è in grado di distinguere facilmente una massa ovarica per la sua ecogenicità, la sua localizzazione e il suo contenuto. La frequenza della presenza di una massa annessiale nella torsione annessiale varia in letteratura dal 36% al 98,6% (40). Nella nostra serie, l'81,7% delle pazienti con diagnosi di torsione annessiale presentava una massa annessiale all'ecografia, ma questo dato non era significativo; il nostro risultato è paragonabile a quello di Ghulmiyyah (10) che non ha notato un'associazione significativa (40% vs 60%, p=0.3).3), questi risultati contrastano con quelli di Huchon (18) che nel suo studio prospettico ha rilevato che la presenza di una cisti all'ecografia era

45

significativamente associata alla torsione con una sensibilità del 93,8% e una specificità del 53,6%.

Nella nostra serie, abbiamo riscontrato che le cisti contorte avevano una dimensione media significativamente maggiore rispetto alla dimensione media delle cisti non contorte (60 mm [45,25-77,75] vs 82,5 mm [58,5-107,5] ;p=0.004), abbiamo anche notato che le cisti di dimensioni superiori a 50 mm erano significativamente associate a torsione annessiale; il nostro risultato è coerente con la letteratura(22,25),(44). Bar-on (64), invece, non ha trovato alcuna correlazione tra le dimensioni della massa annessiale e la torsione annessiale nella sua serie di 78 donne ricoverate per sospetta torsione.

Le cisti benigne hanno maggiori probabilità di causare torsione annessiale (61) (22) , (4) . Una massa ovarica complessa all'ecografia è stata documentata più frequentemente nelle pazienti in menopausa (52,2% contro 25,4%, p<0,001), il che può essere spiegato dal fatto che la torsione che coinvolge masse ovariche maligne è rara (4) e perché altri sintomi di solito dominano la presentazione.

I reperti ecografici di cisti dermoide erano significativamente associati alla torsione (p=0,02), mentre i reperti ecografici di cisti emorragica del corpo luteo erano più frequenti nelle donne senza torsione nello studio di Melcer (1). I nostri risultati anatomopatologici concordano con questi risultati, infatti, dopo lo studio istologico, abbiamo riscontrato che le cisti dermoidi erano significativamente associate alla torsione annessiale (1(3,8%) vs 12(28,6%); p=0,012).

Nella nostra serie, la torsione era significativamente più frequente nei casi di cisti con contenuto anecogeno (69,5% vs 34,8%; p=0,004) e significativamente meno frequente nei casi di cisti iperecogene (27,3% vs 10,2% ; p=0,044) o con contenuto eterogeneo (25,8% vs 8%; p=0,05). Una descrizione dettagliata dell'ecogenicità e del contenuto è obbligatoria per qualsiasi massa annessiale scoperta all'ecografia (Figura 24).

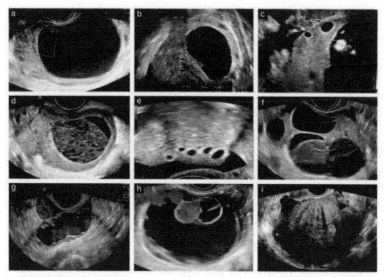

Figura 24. Immagini ecografiche di ovaie contorte con masse annessiali:

(a, b, f) cistoadenoma sieroso; (c, e) teratoma cistico maturo; (d) corpo luteo;
(g) tube di Falloppio con piosalpinge; (h) tumore del bordo mucinoso;
e (i) fibroma. (33).

2.1.7. Effusione di Douglas

Sebbene la presenza di un versamento di douglas sia riscontrabile in diverse patologie addomino-pelviche, uno studio di Dawood (43) su 47 casi positivi ha dimostrato che, in caso di ingrossamento ovarico, il versamento è un segno sensibile di torsione. La sua frequenza in letteratura è molto variabile e varia dal 4,8% all'87% (30) (40) (2). La presenza di versamento è stata significativamente associata alla torsione annessiale negli studi comparativi di Feng (31) e Mashiach (14). Nel nostro studio, l'effusione di Douglas-fir è stata osservata nel 53,3% dei casi, stimata nella maggior parte delle situazioni di bassa abbondanza, ma senza alcuna associazione significativa con la torsione annessiale (p=0,744).

2.1.8. Studio Doppler

Il doppler può essere utilizzato per valutare la vascolarizzazione ovarica, sebbene la sua utilità nella diagnosi di torsione annessiale sia controversa (43).
Un'anomalia del flusso venoso, definita come un pattern di flusso non continuo, può essere presente fino al 100% dei casi (43). Il flusso arterioso può inizialmente mostrare un'alta impedenza prima di diventare assente (4).
Gli studi hanno riportato frequenze variabili di flusso color Doppler anomalo

nei casi di torsione, che vanno dal 37% al 66% dei casi (32) (40) (33).

Nella sua recente revisione, Wattar(60) ha riportato che la sensibilità dello studio Doppler era dell'80% e che la sua sensibilità aveva un valore dell'88%. Nel suo studio comparativo, Feng (31) ha notato che una vascolarizzazione ridotta o assente al Doppler era significativamente associata alla torsione annessiale (67 vs 10; p=0,03). Nella nostra serie, 36 donne hanno beneficiato di studi Doppler e la vascolarizzazione ridotta e/o assente è stata notata in 6 pazienti nel gruppo della torsione confermata, ovvero nel 10,5% dei casi, senza alcuna associazione significativa con la torsione (p=0,73) (Figura 25).

È importante notare che studi Doppler normali non dovrebbero essere utilizzati per escludere la torsione o ritardare l'intervento chirurgico in presenza di un elevato indice di sospetto clinico(2). Infatti, nel suo studio su 315 pazienti con torsione confermata, Moro ha riscontrato che la metà (56%) presentava una vascolarizzazione conservata al Doppler.

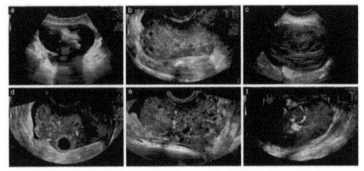

Figura 25. Immagini ecografiche Doppler a colori di ovaie contorte

con assenza di vascolarizzazione (a-c) e vascolarizzazione conservata (d-f)

- Il segno Whirlpool

In una recente revisione, Dawood (43) ha riportato che lo studio Doppler può aiutare ad apprezzare i vasi vorticosi nel peduncolo contorto o "swirl sign". L'ecografia transvaginale facilita la valutazione dinamica su più piani per identificare questo segno, che sarà definito "target" (alternanza concentrica di anelli ipo- e iperecogeni) se visualizzato perpendicolarmente all'asse di rotazione (2) (Figura 26).

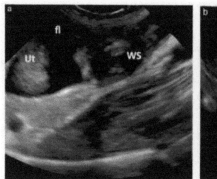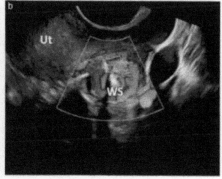

Figura 26. Immagine ecografica Doppler a colori del segno del vortice
. ut:utero; fl:versamento; ws:segno del vortice.
(65).

Diversi autori hanno riportato un'elevata sensibilità del segno di Whirlpool per la diagnosi di torsione annessiale, che varia dal 90,8% al 98% (31,33) (11,65). Nella nostra serie, il segno di Whirlpool è stato osservato in 7 pazienti (11,9% dei casi) ma non è stato associato in modo significativo alla torsione annessiale (p=0,736).

La presenza di un segno di vortice non è sempre un segno di conferma di torsione annessiale, infatti Feng (31) ha osservato che il 40% delle donne con sospetta torsione annessiale, confermata intraoperatoriamente, presentava un segno di vortice all'ecografia. Nella nostra serie, il segno del vortice è stato osservato in tre pazienti del gruppo con torsione invalidata.

2.2. Tomografia computerizzata

Sebbene la TC non sia indicata nei casi di sospetta torsione, viene spesso eseguita nelle donne che presentano un dolore addominale acuto non specifico(43). Secondo gli autori (61,66,67), i reperti TC comuni di torsione annessiale sono lo spostamento degli annessi verso il lato controlaterale o in posizione mediana (68), la deviazione dell'utero verso il lato dell'ovaio interessato, l'ingrossamento degli annessi, l'ispessimento della parete della massa sospetta (67) e la presenza di segni di turbinio (69) (Figura 28).

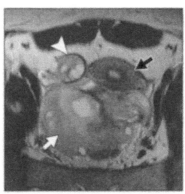

Figura 27. L'utero (freccia nera) è deviato a sinistra dall'ovaio sinistro ingrossato e contorto (freccia bianca). L'ovaio destro normale è visibile (freccia bianca)(70).

Duan (34), nella sua recente serie pubblicata nel 2021, ha valutato la fattibilità della previsione preoperatoria dell'angolo di torsione mediante TC per stratificare il rischio di necrosi nelle pazienti con torsione annessiale e ha scoperto che il rischio di necrosi annessiale è elevato nelle pazienti con un angolo di torsione >720°. Un peduncolo contorto allargato e un'emorragia del peduncolo sono reperti TC che possono essere utilizzati per predire un angolo di torsione >720 e possono implicare indirettamente una necrosi annessiale (Figura 29).

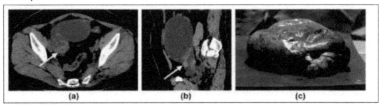

Figura 28. Immagine TC assiale che mostra la cisti con un peduncolo di torsione allargato (a). Emorragia puntiforme visibile al margine del peduncolo di torsione.
(Immagini di ricostruzione sagittale che mostrano il peduncolo attorcigliato con
emorragia (frecce, segno di massa) (b) Fotografia del pezzo
che mostra il tessuto ovarico necrotico e il peduncolo attorcigliato:
si è notato
un angolo di torsione
di 1,080° (c) (34).

Bronstein(13) e Swenson (71) hanno riportato nei loro studi comparativi che le prestazioni dell'ecografia e della TC per la diagnosi di torsione annessiale sono simili.

Nella nostra serie, la TC è stata eseguita in 14 pazienti, ovvero nel 14,1% dei casi. L'esiguo numero di casi in cui è stata riscontrata un'evidenza di torsione alla TC non ci ha permesso di effettuare uno studio analitico di questi risultati. È inoltre importante notare che in 2 donne è stato riscontrato un annesso tumorale con disposizione periferica dei follicoli, senza che sia stata riscontrata una torsione intraoperatoria.

3. Risonanza magnetica

La risonanza magnetica (RM) è costosa ma utile per diagnosticare la torsione ovarica se i risultati ecografici sono equivoci o nelle donne in gravidanza (53). La risonanza magnetica offre un migliore studio dei tessuti molli e può dimostrare le componenti di una massa ovarica complessa in modo più dettagliato rispetto all'ecografia (60). Tuttavia, i ritardi causati da ulteriori studi diagnostici possono rendere la RM sconsigliabile (61).

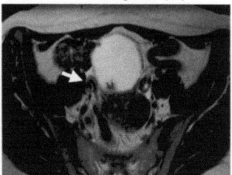

Figura 29 .L'immagine RM trasversale pesata in T2 mostra il segno della spirale. In una donna di 57 anni con dolore subacuto si osserva una torsione della tuba di Falloppio destra (freccia).

IV. MODULI CLINICI Moduli clinici
1. Sintomi subacuti e cronici

Secondo la letteratura, la torsione subacuta è definita da un dolore che dura non più di 2 giorni e la torsione cronica è definita da un dolore che dura più di 3 giorni (72) . Queste forme sono meno frequenti (72).

I sintomi sono fugaci e parossistici, a volte cedono spontaneamente (73), più spesso spiegati da episodi di torsione-detorsione degli annessi, che durano da pochi giorni a diversi mesi (53). L'interrogatorio è quindi una parte preziosa e vitale della diagnosi. L'esame fisico non è molto specifico e può rivelare una massa annessiale latero-uterina con vari gradi di dolore alla palpazione. Takeda (72) ha riscontrato nella sua serie che le donne che presentavano una torsione cronica erano significativamente più anziane e che la metà di queste donne era stata ricoverata per un'annessectomia programmata con la scoperta di un'annessa torsione intraoperatoria.

2. Forme topografiche

2.1. Torsione isolata della tuba di Falloppio

La torsione isolata della tuba di Falloppio è un evento raro (74) Ad oggi, l'incidenza di torsione della tuba di Falloppio riportata in letteratura è compresa tra 1:500.000 e 1:1.500.000 (75). La torsione isolata della tuba di Falloppio può verificarsi in seguito a masse estrinseche come cisti ovariche e paratubali (53), aderenze intraperitoneali, gravidanza (76) e congestione pelvica (74) o a cause intrinseche quali idrosalpinge, ematosalpinge, lunghezza anomala della mesosalpinge (15) e legatura delle tube (74). Un gran numero di case report, serie di casi e revisioni sulla torsione delle tube di Falloppio riguardano pazienti pediatrici e adolescenti (5,54,75,77,78), suggerendo che la torsione delle tube può essere più comune nei giovani.

I segni clinici della torsione delle tube non sono specifici e sono rappresentati il più delle volte da un dolore pelvico acuto con una possibile massa annessiale all'esame fisico (79).

L'aspetto tipico della torsione tubarica all'ecografia è quello di una tuba dilatata e ridimensionata con pareti ecogene ispessite (74) . La tuba dilatata può trovarsi al centro di un ovaio omolaterale normale, restringendosi verso le due estremità in una configurazione nota come segno del "becco" (43),(53).Il segno del vortice ecografico è il segno specifico della torsione tubarica, ma non è sempre completamente rilevabile, soprattutto in presenza di una massa.(15)

Nella nostra serie, è stata riscontrata una torsione isolata della tuba in una ragazza di 15 anni che si è presentata con un forte dolore pelvico in un contesto di apiressia, con un ovaio ingrossato e una cisti di 4 cm all'ecografia, con la scoperta di un'idrosalpinge ritorta con una cisti controlaterale non ritorta intraoperatoriamente. La paziente ha beneficiato di una puntura tubarica seguita da detorsione della tuba con cistectomia laparoscopica.

Dato che la maggior parte delle pazienti sono adolescenti (5,53,75), la conservazione delle tube dovrebbe essere preferita quando possibile, a causa delle preoccupazioni sulla fertilità futura (80).

2.2. Cisti para-ovariche e paratubali

Le cisti paratubali sono residui dei dotti mesonefrici (Wolffian) (2). Sono semplici cisti benigne separate dall'ovaio (81), spesso attaccate da un peduncolo alla mesosalpinge (2) e rappresentano il 10% di tutte le masse annessiali (81). Secondo la letteratura, di solito sono complicate da emorragia o rottura, ma raramente da torsione (81). Queste cisti possono torcersi da sole o predisporre alla torsione tubarica isolata (5).

La diagnosi di torsione delle cisti paratubali può essere difficile, in quanto le pazienti presentano segni e sintomi di torsione ovarica ma ovaie dall'aspetto normale alla diagnostica per immagini (2). Nella nostra serie, abbiamo notato 8 cisti paratubali, ma l'esame clinico iniziale di tutte le pazienti era simile a quello delle pazienti ricoverate per torsione di cisti ovariche, per cui si può concludere che la conoscenza di questo fenomeno e la particolare attenzione alle strutture extraovariche sono essenziali per la diagnosi (2,12).

2.3. Torsione bilaterale

Si tratta di una situazione eccezionale che può verificarsi contemporaneamente (82) o più spesso in successione (83-85). Questa situazione è certamente rara (86) e il quadro clinico è molto fuorviante, ma deve essere sempre presa in considerazione in presenza di una paziente che ha già subito un intervento chirurgico per questa condizione o in presenza di una paziente che presenta un dolore pelvico diffuso e più di una massa cistica all'ecografia (86,87). Nella nostra serie, abbiamo osservato un caso di torsione bilaterale simultanea in una ragazza di 18 anni che presentava un dolore pelvico acuto con vomito in evoluzione da un giorno, con due masse cistiche di 60 e 85 cm all'ecografia, con la visualizzazione di un giro Doppler di cuspide sul lato destro. La paziente ha beneficiato della detorsione dei due annessi con cistectomia bilaterale delle due cisti paratubali mediante laparotomia.

2.4. Torsione dell'appendice sana

Le ovaie di aspetto normale sono coinvolte fino al 46% dei casi di torsione (4). Tuttavia, questa condizione può verificarsi a qualsiasi età, in particolare nelle ragazze prepuberi con legamenti lombo-ovarici allungati (25) e nelle donne in gravidanza (88). Il quadro clinico è irrilevante.

L'ecografia rimane l'esame di riferimento, che consente di eliminare le diagnosi differenziali e di ricercare segni indiretti di ischemia. L'interruzione del flusso venoso porta a un rimodellamento reattivo che può essere rilevato dall'aumento del volume ovarico rispetto agli annessi controlaterali (88). L'utilità del Doppler dei vasi ovarici rimane controversa (89). La RM è una tecnica d'indagine complementare soddisfacente nelle donne in gravidanza, con un'accuratezza maggiore rispetto all'ecografia. La combinazione di Doppler e RM fornisce un approccio diagnostico migliore, ma non dovrebbe ritardare la gestione chirurgica(88).

Nella nostra serie, abbiamo osservato 10 casi di torsione ovarica isolata senza massa annessiale associata, pari al 16,7% dei casi.

3. Forme in base all'età di insorgenza

3.1. Torsione prenatale

Si tratta di una forma eccezionale. Il primo caso è stato pubblicato nel 1961 da Karrer e Swensen (90) . I casi riportati in letteratura non sono molti. Il quadro clinico può mimare o causare un'ostruzione intestinale acuta nei neonati (91,92) e il sospetto radiologico è spesso sollevato a livello prenatale dalla scoperta di una massa cistica addominale nel fretus (93). Nel 2020, Saeed (94) ha pubblicato il caso di un neonato in cui è stata osservata una massa avascolare solida complessa all'ecografia prenatale. L'operazione è stata eseguita dopo 5 settimane di vita e si è scoperta una necrosi ovarica. Il trattamento è stato l'ooforectomia. Kurtmen (93) ha pubblicato nel 2021 una serie di 28 neonati in cui era stata diagnosticata una massa cistica addominale in fase prenatale e che corrispondeva a una massa ovarica contorta alla laparoscopia; nel 61,7% dei casi è stata riscontrata un'auto-amputazione dell'ovaio. Tutti i casi sono stati trattati con ooforectomia.

3.2. Torsione nei bambini e negli adolescenti

La torsione degli annessi è la quinta emergenza ginecologica più comune e rappresenta il 2,7% di tutti i casi di bambini con dolore addominale acuto (51). A differenza della popolazione adulta, la torsione di un annesso sano può verificarsi fino al 25% dei casi nella popolazione pediatrica a causa dell'allungamento fisiologico del legamento lombo-ovarico, dell'eccessiva mobilità della tuba di Falloppio o di bruschi movimenti del corpo (esercizio fisico vigoroso, improvvisi cambiamenti di posizione del corpo, aumento della pressione intra-addominale, traumi)(25) (47) .

Un'attenta interrogazione può essere un valido strumento diagnostico se rivela episodi simili o un'insorgenza improvvisa dei sintomi. Tuttavia, il vomito era significativamente associato alla torsione annessiale secondo il recente studio di Tzur (54) e Ashwal (30) nel 2021. La diagnosi clinica è completata da un'ecografia transaddominale, che può rilevare un ovaio ingrossato associato a un'immagine cistica, il più delle volte di aspetto benigno (41,53). La TC e la RM addominopelvica dovrebbero essere richieste in caso di dubbio sulla diagnosi e non dovrebbero mai ritardare la gestione chirurgica al fine di preservare la fertilità successiva nei bambini e negli adolescenti (3).

3.3. Torsione e gravidanza

La torsione annessiale in gravidanza è un'entità nosologica rara (95) . Rappresenta il 2,7% di tutte le emergenze chirurgiche nelle donne in gravidanza (96). La sua incidenza varia da 3 a 5 su 10000 gravidanze. Le gravidanze indotte con tecniche di PMA sono quelle che hanno maggiori probabilità di essere complicate da torsione (97,98) (4). Questa complicanza si verifica più frequentemente durante il 1er trimestre (88,96,99,100), più raramente durante il 2eme trimestre (89,101) o il 3eme trimestre (76,102). Nella nostra serie, 2 donne si sono presentate nel 1er trimestre (8 e 9 SA) e 2 donne nel 2^{e} trimestre (24 e 26 SA). Nella nostra serie non sono stati riscontrati casi nel 3eme trimestre di gravidanza.

Durante la gravidanza, si verifica un aumento di volume dell'utero gravidico, con conseguente allungamento dei legamenti sospensori dell'ovaio, della frangia ovarica e del legamento utero-ovarico, associato alla fisiologica destrostazione uterina, che porta al disaccoppiamento e alla separazione dei vari annessi dalle loro origini (89). Questi cambiamenti rendono gli annessi più vulnerabili alla torsione in presenza di una patologia annessiale preesistente (88), ma la torsione in un annesso sano non è rara durante la gravidanza (76,101). La gravidanza è quindi considerata dalla maggior parte degli autori un fattore di rischio per la torsione degli annessi (4,25,39).

Le masse annessiali che causano torsione durante la gravidanza hanno generalmente dimensioni comprese tra 6 e 8 cm (4), e sono solitamente presentate da cisti del corpo luteo e cisti dermoidi (99,102). La risonanza magnetica senza contrasto di gadolinio è spesso utilizzata quando la fonte del dolore non può essere identificata con l'ecografia(25).Nella nostra serie, tutte le donne gravide hanno beneficiato esclusivamente dell'ecografia transaddominale, che da sola ha permesso di sospettare la diagnosi di torsione annessiale.

3.4. Donne in post-menopausa

La torsione degli annessi è una causa rara di dolore pelvico nelle donne in menopausa, poiché i segni associati sono vaghi e la diagnosi di torsione viene fatta raramente (104). Cohen (7) ha osservato nel suo studio comparativo che la febbre era significativamente più marcata nelle donne in postmenopausa con diagnosi di torsione annessiale rispetto alle donne in premenopausa. Questo può essere spiegato dal lungo ritardo tra i primi sintomi e la loro consultazione, che potrebbe portare alla necrosi degli annessi e al conseguente dolore sordo continuo e febbre. Il ritardo nell'intervento chirurgico nelle donne in menopausa può essere spiegato da una diagnosi errata e da un ulteriore work-up pre-chirurgico per le masse pelviche, con un maggiore sospetto di malignità e un ridotto sospetto di torsione in queste pazienti.

Nella nostra serie di torsioni annessiali, 2 donne erano in menopausa e sono state sottoposte ad annessiectomia bilaterale. L'esame patologico dei due annessi ha rivelato due ovaie contorte con due cistoadenomi sierosi dell'ovaio. L'annessiectomia bilaterale non è più il trattamento di scelta per questi casi, infatti negli ultimi anni il trattamento della torsione annessiale è stato valutato e la maggior parte degli autori attualmente raccomanda l'annessiectomia unilaterale (7,105) (106).

VI. Fattori di ritardo nella diagnosi

La diagnosi precoce della torsione annessiale è l'unica garanzia di un trattamento conservativo. Sebbene lo sviluppo dell'ecografia e della crelioscopia abbia contribuito in modo significativo a migliorare la gestione della torsione annessiale, la diagnosi rimane difficile in alcuni casi. Questa difficoltà può allungare i tempi della diagnosi, che è un fattore determinante per il trattamento conservativo (9,50).

1. Fattori inerenti al paziente : Consultazione ritardata

Il tempo che intercorre tra l'insorgenza della sintomatologia dolorosa e la visita al pronto soccorso è un fattore prognostico per la vitalità dell'appendice. Diversi autori hanno studiato questo tempo (Tabella XXVIII.).

Tabella XXV: Tempo tra l'insorgenza dei sintomi e la visita al pronto soccorso in letteratura

Autore	Anno	Durata media
Nair(40)	2014	5,4 giorni (2-14)
Ganer (20)	2016	26,7 ore +/-33,7 ore
Wang(52)	2019	62,6 ore
Duan(34)	2021	54,5 ore
Hageg(75)	2021	8,75 ore

Ashwal (30) ha rilevato nel suo studio che il tempo di consultazione per le ragazze impuberi era significativamente più lungo rispetto a quello delle donne in età fertile. Ciò si spiega con il fatto che solo due terzi delle pazienti impuberi sono state sottoposte a ecografia pelvica e il 12% non è stato visitato inizialmente dal ginecologo.

Nella nostra serie, è stato impossibile calcolare questo tempo esatto perché solo 8 pazienti su 60 hanno specificato l'ora esatta di insorgenza del dolore prima della visita di emergenza. Per tutti i nostri pazienti, questo tempo approssimativo è stato stimato sulla base della data di insorgenza del dolore e della data e dell'ora della consultazione di emergenza, che variava da una consultazione entro 12 ore dalla prima sintomatologia a un tempo superiore a 3 giorni. Contrariamente ai risultati della letteratura (1,57), non abbiamo trovato un'associazione significativa tra la durata della consultazione > 24 ore e la necrosi degli annessi (p=0,187).

2. Fattori correlati alla sintomatologia

Questi sono i fattori più determinanti per il clinico, rappresentati dalle forme subacute e croniche la cui sintomatologia è vaga e fuorviante. Per questo motivo, un interrogatorio approfondito, un esame clinico meticoloso ed esami radiologici mirati sembrano necessari per supportare la diagnosi. Nella nostra serie, le forme subacute si sono presentate nel 21,4% dei casi e quelle croniche nel 16,1%.

3. Fattori inerenti alla gestione medica

Il tempo trascorso tra la consultazione nel dipartimento di emergenza e il trasferimento in sala operatoria per l'esplorazione e il trattamento è considerato da alcuni un fattore determinante nella prognosi di una torsione degli annessi (9).

Tabella XXVI: Tempo intercorso tra la visita al pronto soccorso ginecologico e il trasferimento in sala operatoria

Autore	Anno	Tempi (ore)
Nair (40)	2014	24
Glanc (9)	2015	22,4
Cohen (7)	2017	15
Wang (99)	2020	14
Hageg (75)	2021	5,45
La nostra serie	2022	6,9

L'apparente ritardo nell'esecuzione della laparoscopia, una volta presa la decisione, è stato spiegato dal rifiuto delle pazienti di sottoporsi a un'operazione d'urgenza durante la notte, dalla necessità di stabilizzare le pazienti affette da ulteriori patologie sistemiche e dalla richiesta dell'anestesista di un tempo pieno di 6 ore.

Va notato che molte autorità ritengono che un breve ritardo di poche ore non sia dannoso per la futura vitalità dell'ovaio(9) (50).

V. Diagnosi differenziale

La diagnosi clinica di torsione annessiale è difficile non solo per il polimorfismo clinico, ma anche per la non specificità degli esami biologici e radiologici. Diversi studi, come il nostro, hanno incluso nella loro serie tutte le donne consultate per dolore pelvico acuto con sospetto di torsione annessiale sulla base dei dati degli esami clinici e radiologici. La conferma o la negazione della torsione è stata seguita da un intervento chirurgico. L'accuratezza del 60% nella diagnosi preoperatoria di torsione annessiale nel nostro reparto è paragonabile a quella di studi precedenti che riportavano tassi compresi tra il 44% e il 78%. (50,56,107)

La Tabella XXX illustra alcuni degli studi pubblicati in letteratura, con i risultati suddivisi in gruppi di torsione confermata e rifiutata.

Tabella XXVII. Confronto clinico e operatorio delle donne che presentano torsione annessiale secondo la letteratura

Studio	Torsione	Nessuna torsione	Totale	Periodo di studio
Zangue (2016)(108)	67	217	284	febbraio 2013-dicembre 2014
Melcer (2018)(1)	88	111	199	gennaio2008-dicembre2014
Barone(2010)(50)	36	42	78	nov2006-feb2008
Huchon(2012)(18)	31	465	496	settembre2006-aprile2008
Guven (2015) (35)	24	14	34	3 anni
Gu 2018 (36)	46	61	96	marzo2012-novembre2017
Feng (2017) (31)	109	86	195	gennaio2020-giugno2015
Bardin(2020) (11)	270	52	322	1010-2016
Michelis (2021) (107)	42	6	54	gennaio2009-luglio2014
Meyer (2022) (41)	83	37	121	marzo 2011-giugno 2020
Il nostro studio (2022)	60	40	100	gennaio2017-giugno2022

Le diagnosi riscontrate durante l'esplorazione chirurgica sono di origine chirurgica e ginecologica (4) .

1. Cause ginecologiche
1.1. Gravidanza extrauterina
Può essere diagnosticata in presenza di un background favorevole e di amenorrea associata a dolore pelvico. La confusione con la torsione annessiale può sorgere quando l'ecografia evidenzia un'ematosalpinge che imita una massa annessiale. Un test Beta-hCG negativo esclude formalmente la diagnosi. Tuttavia, l'associazione della torsione annessiale con una gravidanza extrauterina è possibile e sono stati pubblicati casi in letteratura (109,110). Nella nostra serie, tutte le pazienti sono state ricoverate in sala operatoria dopo aver verificato la negatività delle Beta HCG, a parte i 4 casi di donne di cui era nota la gravidanza.

1.2. Infezione utero-annessica
Può simulare una torsione annessiale in presenza di una massa dolorosa in un contesto febbrile. All'ecografia, l'ascesso tubo-ovarico si presenta come una massa latero-uterina complessa con setti, una parete tubarica e/o ovarica spessa e un'ecogenicità eterogenea. Il flusso vascolare è fortemente aumentato al Doppler. La RM fornisce la migliore valutazione della massa pelvica diffusa con detriti, setti ispessiti ed elevato contrasto (15). Sendy (111) ha pubblicato nel 2020 il caso di una paziente di 23 anni che si è presentata al pronto soccorso con un forte dolore pelvico e un'immagine cistica complessa a destra con vascolarizzazione Doppler conservata. La laparoscopia ha rivelato una piosalpinge bilaterale trattata con salpingotomia bilaterale.

Nella nostra serie, abbiamo riscontrato 3 casi di ascesso tubo-ovarico e un caso di idrosalpinge all'esplorazione chirurgica. I 4 pazienti erano apiretici, ma presentavano una CRP positiva compresa tra 26 e 45, con un'iperleucocitosi che raggiungeva il valore di 22240 in un paziente. Si può notare che la presenza di una sindrome infiammatoria biologica è un fattore importante che deve essere preso in considerazione quando si discute la diagnosi di torsione annessiale.

1.3. Emorragia intracistica
La diagnosi clinica tra torsione annessiale ed emorragia intracistica è spesso difficile, soprattutto perché queste due complicanze possono verificarsi insieme. L'emorragia può verificarsi in una cisti follicolare o, più comunemente, in una cisti del corpo luteo. All'ecografia si riscontra un'immagine avascolare ipoecogena arrotondata con un pattern reticolare o fine (112). In genere sono presenti molteplici filamenti sottili di fibrina che conferiscono un aspetto a rete (15). Le cisti emorragiche possono assomigliare a masse solide o solidocistiche,

a causa della formazione di coaguli di sangue e di setti più spessi all'interno della cisti. Le pazienti con cisti emorragiche di dimensioni superiori a 5 cm vengono solitamente seguite a intervalli di 6-8 settimane per dimostrare la risoluzione o la riduzione delle dimensioni, al fine di escludere la possibilità di un tumore ovarico sanguinante(15).

Nel nostro studio, la cisti emorragica del corpo luteo è stata la diagnosi differenziale più comune con una frequenza del 13%, seguita dall'emorragia intracistica in 2 casi (senza precisione istologica del tipo di cisti) e dall'ovulazione emorragica in 1 caso. Tuttavia, l'associazione della cisti emorragica con la torsione è possibile. Nella nostra serie, cinque cisti torsionali erano corpi lutei emorragici.

1.4. Torsione di un fibroma uterino

È interessata al mioma sotto il peduncolo sieroso. L'interrogatorio rivela l'anamnesi di un fibroma già noto. L'ecografia è l'esame chiave perché può differenziare un'immagine liquida da un fibroma con contenuto ecogeno juxta-uterino più denso (113). In ogni caso, l'esplorazione chirurgica è indicata in presenza di dolore intenso. Nella nostra serie, abbiamo riscontrato un caso di torsione di un fibroma uterino peduncolato in una ragazza di 14 anni che presentava un intenso dolore pelvico senza febbre associata. L'ecografia ha rivelato un'immagine anecogena di 47 mm. L'esplorazione laparoscopica ha rivelato una cisti emorragica del corpo luteo e un fibroma uterino attorcigliato. Sono state eseguite la cistectomia e la resezione del fibroma. Il follow-up è stato semplice.

1.5. Sindrome da iperstimolazione ovarica

Questa sindrome si manifesta generalmente nelle donne sottoposte a stimolazione ovarica farmacologica (112) . Si manifesta generalmente durante la fase luteale o all'inizio della gravidanza. I segni clinici, oltre al dolore addominopelvico e al vomito, possono includere oliguria e dispnea dovuta a versamento pleurico (114) . Le ovaie sono ingrossate con cisti multiple, che talvolta raggiungono i 25 cm. Un ovaio iperstimolato non contorto presenta cisti separate da setti di tessuto sottile e ha dimensioni relativamente simmetriche rispetto al lato opposto (15).

1.6. Patologia annessiale non complicata

Questa entità si riscontra nel 7%-44,1% dei casi nelle serie {1_,2). Nella nostra serie rappresenta il 16% dei casi, principalmente endometriomi e cistoadenomi dell'ovaio.

Segni ecografici di torsione erano presenti in cinque referti ecografici, come l'aumento del volume ovarico (n=5), la disposizione periferica dei follicoli (n=4), lo stroma iperecogeno (n=4) e la presenza del segno Whirlpool (n=3), mentre i risultati operativi mostravano ovaie di aspetto normale con patologia annessiale non complicata, Ciò può essere spiegato dal timore del medico di perdere una torsione, e quindi dalla sua decisione di esplorare anche se non c'era un forte sospetto clinico di una diagnosi di torsione, e dall'influenza di questo medico sulla richiesta del radiologo di un'ulteriore ecografia per confermare il sospetto di una diagnosi di torsione.

2. Cause non ginecologiche
2.1. Appendicite acuta
È la prima diagnosi da fare in presenza di un dolore acuto nella fossa iliaca destra. La diagnosi è ancora più difficile se la torsione si verifica in un annesso sano. Lo studio dell'appendice deve essere effettuato sistematicamente in concomitanza con la valutazione ecografica dell'ovaio destro se si sospetta una torsione annessiale(15). In caso di dubbio sulla diagnosi, è necessario eseguire una crelioscopia.

Nella nostra serie, l'appendicite acuta è stata riscontrata in due donne ricoverate per sospetta torsione annessiale, la prima delle quali era apiretica, presentava un dolore alla fossa iliaca sinistra con iperleucocitosi e un CRP di 23,9 all'esame biologico e la presenza di una cisti di 47 mm con un ovaio ingrossato all'ecografia; è probabile che la localizzazione del dolore non abbia indotto il clinico a considerare la diagnosi di appendicite di solito a destra. Nella seconda paziente, il dolore era a destra in un contesto di apiressia con una CRP di 59 e WBC normali. All'ecografia è stata rilevata una cisti di 40 mm a destra con un ovaio ingrandito, una disposizione periferica dei follicoli e uno stroma iperecogeno, da cui la decisione di esplorare con la crelioscopia.

2.2. Altri :
Sono possibili altre diagnosi più rare, come colica nefritica, ritenzione acuta di urina, tromboflebite pelvica o diverticolite.

La Tabella 35 mostra la frequenza delle diagnosi differenziali riscontrate dagli autori. (Tabella XXXI)

Tabella XXVIII.Diagnosi differenziali riscontrate intraoperatoriamente in donne che presentano torsione annessiale

Autore	Gravidanza extrauterina	Infezione utero-annessiale	Emorragia intracistica	Appendicite	Cisti ovarica non complicata	Altro

Barone (2010) (64)	–	–	10,20%	–	29.5%	adesioni - PCOS
Huchon (2012) (18)	30,10%	14,80%	16,10%	1,20%		fibromi necrobiosi- SHO- cause urologiche
Guven (2015) (35)			32,30%	8,80%		*▪▪▪▪
Zangue (2016) (108)	8,40%	1,16%	7,60%	9,35%	7%	
Feng (2017) (31)	1%	2%	1%	1%	4,61%	rottura cistica
Melcer (2018) (1)			26,60%		9,50%	Leiomioma
Otjen (2020) (28)		1,50%	5,10%	5,40%	3,60%	cause urologiche - gastroenterite
Bardin (2020) (11)	8,80%	47%	5,80%	44,10%		
La nostra serie (2022)	4%	16%	2%	16%		

V. Raccomandazioni

La diagnosi di torsione annessiale rimane una sfida per tutti i ginecologi, dato il polimorfismo clinico e i dati biologici e radiologici talvolta inconcludenti.

In futuro, dovrebbero essere condotti studi clinici prospettici randomizzati che analizzino un numero maggiore di casi per determinare criteri diagnostici più precisi e il trattamento ottimale. Ciò migliorerà la gestione delle donne con torsione annessiale. Il trattamento conservativo in laparoscopia dovrebbe essere il trattamento di scelta quando possibile (8,106).

Alla luce dei nostri risultati e della revisione della letteratura che abbiamo studiato, raccomandiamo :

• Sensibilizzare i medici d'urgenza su questa patologia.

• Riunire i vari elementi semeiologici clinici, biologici e radiologici nella diagnosi del dolore pelvico acuto

• La necessità di un esame ginecologico sistematico combinato con un'ecografia pelvica in tutte le donne che presentano un dolore pelvico acuto

• Il flusso Doppler da solo non deve guidare il processo decisionale clinico.

• Laparoscopia d'urgenza in casi di sospetta torsione annessiale

• L'uso della crelioscopia dovrebbe essere esteso ai casi in cui vi sia un dubbio diagnostico su un'altra emergenza ginecologica o chirurgica.

Il seguente algoritmo decisionale è proposto anche per il sospetto di torsione annessiale (Figura 32) e di dolore pelvico acuto (Figura 33).

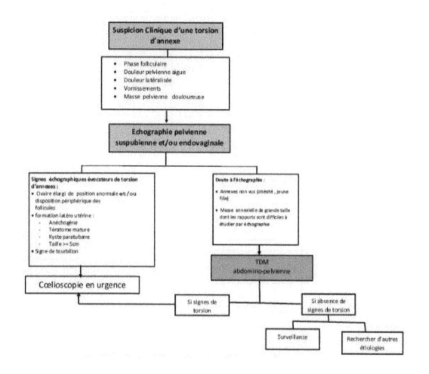

Figura 30. Algoritmo decisionale per il sospetto di torsione annessiale

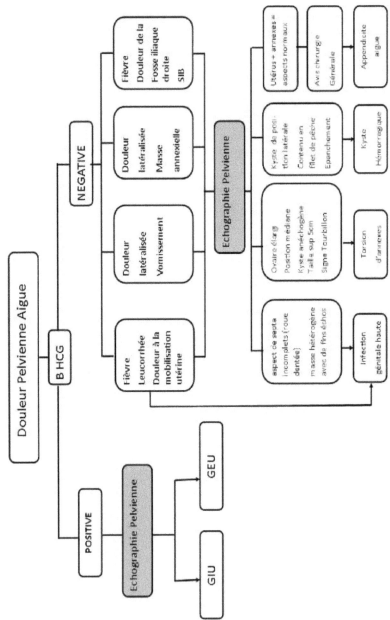

Figura 31. Algoritmo decisionale per il dolore pelvico acuto

VI. Limitazioni dello studio

-Il nostro studio è limitato dal suo disegno retrospettivo nell'analisi dei dati. Non abbiamo potuto ottenere informazioni sulla gravità del dolore delle

64

pazienti, che potrebbe essere associato alla torsione annessiale.

-Abbiamo inoltre riscontrato una mancanza di informazioni nei fascicoli relativi agli esami cervicali effettuati sulle pazienti di sesso femminile.

-Le informazioni sui risultati ecografici si basano su una revisione retrospettiva dei referti ecografici e riflettono l'impressione soggettiva dell'operatore sulla maggior parte dei parametri ecografici studiati.

-La maggior parte delle ecografie è stata eseguita per via sovrapubica, mentre lo studio ottimale degli annessi dovrebbe essere eseguito per via transvaginale. L'alta frequenza di ragazze vergini nella nostra serie può spiegare questa limitazione.

-La nostra serie comprendeva solo un piccolo numero di studi sui segni ecografici di torsione, come la disposizione periferica dei follicoli, lo stroma iperecogeno e la posizione anomala degli annessi, nonché un piccolo numero di studi di flusso Doppler.

-Il nostro studio era inoltre limitato dalla sua natura monocentrica. Sarebbe interessante condurre uno studio più ampio, o addirittura multicentrico, su scala nazionale per descrivere e codificare meglio i segni clinici, biologici e radiologici associati alla torsione annessiale e proporre un punteggio composto per aiutare i medici a rafforzare il loro sospetto diagnostico di torsione annessiale.

VII. Punti salienti

• Il nostro studio è il primo a livello nazionale a cercare un'associazione significativa tra diversi segni clinici, biologici e radiologici e la torsione annessiale.

• L'uso combinato di questi criteri può consentire di indirizzare le pazienti verso un intervento chirurgico urgente in caso di elevato sospetto di torsione annessiale, invece di ricoverarle in osservazione e rivalutazione in caso di basso sospetto di torsione annessiale.

5 CONCLUSIONE

La torsione annessiale è un'emergenza chirurgica ginecologica, la sua patogenesi è multifattoriale e rimane poco chiarita, ma sembra che la chiave di volta di tutti questi meccanismi sia l'esistenza di una massa annessiale.

Uno studio retrospettivo su 60 casi di pazienti ricoverate per torsione degli annessi presso il reparto di Ginecologia-Ostetricia di Monastir dal 1er gennaio 2017 al 31 gennaio 2022 ha mostrato che questa patologia rappresenta il 14,93% di tutte le emergenze ginecologiche.

Dal punto di vista epidemiologico, questa condizione può essere riscontrata a qualsiasi età, con un'età media di 25,92±9,09 anni ed estremi che vanno da 13 a 53 anni, e una predominanza di giovani donne in età fertile (93%). Le ragazze rappresentano il 63% della popolazione totale dello studio e 39 pazienti erano nullipare al momento della diagnosi (65%).

Nella nostra serie, abbiamo osservato 4 casi di gravidanza associata a torsione degli annessi: due casi di gravidanza nel 1° trimestre, uno dei quali indotto da CAI, e due casi di gravidanza spontanea a 24 e 26 giorni di gestazione.

La maggior parte delle donne si è consultata durante il periodo ovulatorio del ciclo mestruale e abbiamo riscontrato che questa fase del ciclo mestruale era significativamente associata all'insorgenza di torsioni annessiali.

Nella fase clinica, il 37,5% delle nostre pazienti si è consultato entro 12 ore dall'inizio del dolore, mentre la maggior parte (62,5%) si è consultata dopo 12 ore. In effetti, la torsione annessiale può presentarsi con due quadri clinici principali:

• un quadro acuto dominato dal dolore pelvico, riscontrato nel 98,3% delle nostre pazienti, con un esordio improvviso, unilaterale, generalmente destro (42,4%) e violento, che può essere associato a segni digestivi. Il vomito, riscontrato nel 41,7% dei casi, era significativamente associato alla torsione. La febbre, non superiore a 39°C, è stata riscontrata solo in 6 pazienti (10,2% dei casi) e non era significativamente associata alla torsione o alla necrosi degli annessi.

• Più rari sono i quadri "subacuti" e "cronici", che si verificano nel 16,1% dei casi, in cui il dolore è atipico, persistente, non molto intenso e può risalire a qualche giorno o addirittura a mesi fa. Questi quadri possono essere spiegati da fenomeni di subtorsione spontanea o di torsione-detorsione.

Il ruolo dei test biologici nella diagnosi di torsione annessiale è limitato. La CRP >5 mg/L e l'iperleucocitosi non erano significativamente associate alla torsione annessiale.

L'ecografia pelvica è un mezzo essenziale per supportare la diagnosi di sindrome pelvica nelle donne. Tutte le nostre pazienti sono state sottoposte a un'ecografia preoperatoria, che ha evidenziato una massa annessiale nell'81,7% dei casi e un ovaio ingrossato nel 56,7% dei casi. Le masse con contenuto anecoico, di dimensioni superiori a 5 cm, osservate rispettivamente nell'89,8% e nell'83,7% dei casi, erano significativamente associate alla torsione annessiale. Al contrario, le cisti con contenuto iperecogeno o eterogeneo erano significativamente associate al gruppo di torsione invertita chirurgicamente. Le prestazioni dell'ecografia per la diagnosi di torsione annessiale sono limitate quando viene eseguita per via transdominale o quando il radiologo è influenzato dal sospetto diagnostico del medico. Infatti, segni ecografici di torsione come l'ingrossamento delle ovaie con disposizione periferica dei follicoli sono stati riscontrati nei referti di altre diagnosi effettuate intraoperatoriamente.

Il color doppler è un ausilio indiscutibile non solo per la diagnosi positiva, in quanto dimostra una riduzione del flusso vascolare a livello del peduncolo ovarico e la presenza di un segno di vortice vascolare riscontrato nell'11,9% dei casi nelle nostre pazienti, ma anche in 3 pazienti del gruppo di torsione disabile.

Dal punto di vista diagnostico, il polimorfismo anatomico e clinico della torsione rende talvolta difficile la diagnosi e pone spesso il problema della diagnosi differenziale con altre emergenze ginecologiche e chirurgiche, che saranno risolte dall'esplorazione chirurgica. Infatti, una volta sospettata la diagnosi di torsione sulla base di argomenti clinici, con un forte dolore acuto che domina il quadro, e sulla presenza di una massa annessiale all'esame clinico e/o all'ecografia. La crelioscopia deve essere eseguita con urgenza. Serve a confermare la torsione, a determinare la gravità delle lesioni annessiali e, se necessario, a garantire il trattamento.

Nella nostra serie, per ogni 100 donne ricoverate d'urgenza in sala operatoria con sospetta torsione annessiale, la diagnosi è stata confermata in 60 pazienti (60% dei casi). La crelioscopia ha permesso di formulare la diagnosi nel 61,7% dei casi e di effettuare il trattamento nel 51,7% dei casi. Il trattamento conservativo degli annessi contorti è stato il trattamento di scelta nell'86,7% dei casi, riflettendo la nostra particolare preoccupazione di preservare gli annessi e quindi la fertilità delle nostre pazienti. L'annessiectomia è stata eseguita per gli annessi gravemente necrotici o sfaceli o per il sospetto di malignità. Le due donne in menopausa sono state sottoposte anche ad annessectomia bilaterale. In un solo caso della nostra serie è stato riscontrato un tumore maligno. Si trattava di un teratoma cistico maturo con un tumore mucinoso di tipo intestinale con focolai di carcinoma invasivo.

La diagnosi precoce di torsione annessiale acuta è fondamentale per offrire la possibilità di un trattamento conservativo. Un ritardo nella diagnosi espone la paziente al rischio di necrosi annessiale. Tuttavia, nella nostra serie, l'unica caratteristica significativamente associata alla necrosi annessiale era la presenza di una grande cisti di 150 mm [80-220].

Alla luce di questi risultati, sottolineiamo l'importanza vitale della diagnosi precoce della torsione annessiale e riteniamo che il tasso di trattamenti radicali potrebbe essere ridotto, limitandosi solo alle masse sospette di malignità o nelle donne in menopausa. La crelioscopia è attualmente il pilastro della diagnosi e del trattamento, che dovrebbe essere conservativo per quanto possibile al fine di preservare la fertilità.

6 RIFERIMENTI BIBLIOGRAFICI

1. Melcer Y, Maymon R, Pekar-Zlotin M, Vaknin Z, Pansky M, Smorgick N. Ha una torsione annessiale? Previsione della torsione annessiale nelle donne in età riproduttiva. Arch Gynecol Obstet. marzo 2018;297(3):685-90.

2. Strachowski LM, Choi HH, Shum DJ, Horrow MM. Perle e insidie nella diagnostica per immagini della torsione pelvica degli annessi: sette suggerimenti per capire se è attorcigliata. RadioGraphics. Marzo 2021; 41(2):625-40.

3. Ngo AV, Otjen JP, Parisi MT, Ferguson MR, Otto RK, Stanescu AL. Torsione ovarica pediatrica: una revisione pittorica. Pediatr Radiol. Nov 2015;45(12):1845-55.

4. Sasaki KJ, Miller CE. Torsione annessiale: revisione della letteratura. Journal of Minimally Invasive Gynecology, marzo 2014; 21(2):196-202.

5. Qian L. Torsione isolata delle tube di Falloppio con cisti paraovariche: un caso e una revisione della letteratura. 2021;7.

6. Melcer Y, Sarig-Meth T, Maymon R, Pansky M, Vaknin Z, Smorgick N. Simili ma diverse: un confronto della torsione annessiale in donne in età pediatrica, adolescenti, gravide e in età riproduttiva. Journal of Women's Health, aprile 2016; 25(4):391-6.

7. Cohen A, Solomon N, Almog B, Cohen Y, Tsafrir Z, Rimon E, et al. Torsione annessiale in donne in postmenopausa: presentazione clinica e rischio di malignità ovarica. Journal of Minimally Invasive Gynecology. jan 2017;24(1):94-7.

8. Chu K, Zhang Q, Sun N, Ding H, Li W. Gestione laparoscopica conservativa della torsione annessiale basata su un'esperienza di follow-up di 17 anni. J Int Med Res. Apr 2018;46(4):1685-9.

9. Glanc P, Ghandehari H, Kahn D, Melamed N. OP15.09: Acute ovarian torsion: the impact of time delay to surgery: OP15.09: Acute ovarian torsion: the impact of time delay to surgery. Ultrasound Obstet Gynecol. Sep 2015;46:99-99.

10. Ghulmiyyah L, Nassar A, Sassine D, Khoury S, Nassif J, Ramadan H, et al. Accuracy of Pelvic Ultrasound in Diagnos Adnexal Torsion. Radiol Res Pract. 1 Jul 2019;2019:1406291.

11. Bardin R, Perl N, Mashiach R, Ram E, Orbach-Zinger S, Shmueli A, et al. Previsione della torsione annessiale mediante ecografia in donne con dolore addominale acuto. Ultraschall Med. dicembre 2020; 41(06):688-94.

12. Chang HC, Bhatt S, Dogra VS. Perle e insidie nella diagnosi di torsione

ovarica. RadioGraphics. Settembre 2008; 28(5):1355-68.

13. Bronstein M, Pandya S, Snyder C, Shi Q, Muensterer O. Una meta-analisi dell'ecografia B-Mode, dell'ecografia Doppler e della tomografia computerizzata per la diagnosi della torsione ovarica in età pediatrica. Eur J Pediatr Surg. 30 Aug 2014;25(01):82-6.

14. Mashiach R, Melamed N, Gilad N, Ben-Shitrit G, Meizner I. Diagnosi ecografica della torsione ovarica: accuratezza e fattori predittivi. Journal of Ultrasound in Medicine, settembre 2011; 30(9):1205-10.

15. Ssi-Yan-Kai G, Rivain AL, Trichot C, Morcelet MC, Prevot S, Deffieux X, et al. Ciò che ogni radiologo dovrebbe sapere sulla torsione annessiale. Emerg Radiol. Feb 2018;25(1):51-9.

16. Grunau GL, Harris A, Buckley J, Todd NJ. Diagnosi di torsione ovarica: è tempo di dimenticare il Doppler? Journal of Obstetrics and Gynaecology Canada. luglio 2018;40(7):871-5.

17. Robertson JJ, Long B, Koyfman A. Miti nella valutazione e gestione della torsione ovarica. The Journal of Emergency Medicine, aprile 2017; 52(4):449-56.

18. Huchon C, Panel P, Kayem G, Schmitz T, Nguyen T, Fauconnier A. Questa donna ha una torsione annessiale? Riproduzione umana. 1 agosto 2012; 27(8):2359-64.

19. Chiesa-Vottero A. Rischio di malignità nelle pazienti in postmenopausa con torsione ovarica. International Journal of Gynecological Pathology, gennaio 2020; 39(1):e4.

20. Ganer Herman H, Shalev A, Ginat S, Kerner R, Keidar R, Bar J, et al. Caratteristiche cliniche della torsione annessiale in pazienti in età premenarcale. Arch Gynecol Obstet. marzo 2016;293(3):603-8.

21. Rey-Bellet Gasser C, Gehri M, Joseph JM, Pauchard JY. Si tratta di torsione ovarica? A Systematic Literature Review and Evaluation of Prediction Signs: Pediatric Emergency Care. Apr 2016;32(4):256-61.

22. Asfour V, Varma R, Menon P. Fattori di rischio clinici per la torsione ovarica. :6.

23. Ahui E A, Ke N, An K, A S, Jjk E, N K, et al. Diagnosi ecografica eziologica del dolore pelvico acuto nelle donne della Costa d'Avorio. ESJ [Internet]. 31 luglio 2019 [citare 14 luglio 2022]; 15(21). Disponibile da: http://eujournal.org/index.php/esj/article/view/12262/11827

24. Yuk JS, Yang SW, Lee MH, Kyung MS. Incidenza della torsione annessiale nella Repubblica di Corea: uno studio seriale trasversale a livello nazionale

(2009-2018). J Pers Med. 29 Jul 2021;11(8):743.

25. Huang C, Hong MK, Ding DC. Una revisione della torsione dell'ovaio. Tzu Chi Med J. 2017;29(3):143.

26. Spinelli C, Piscioneri J, Strambi S. Torsione annessiale nelle adolescenti: aggiornamento e revisione della letteratura. Current Opinion in Obstetrics & Gynecology. ott 2015;27(5):320-5.

27. Alrabeeah A, Galliani CA, Giacomantonio M, Heifetz SA, Lau H. Torsione ovarica neonatale: rapporto di tre casi e revisione della letteratura. :7.

28. Otjen JP, Stanescu AL, Alessio AM, Parisi MT. Torsione ovarica: sviluppo di un algoritmo di apprendimento automatico per la diagnosi. Pediatr Radiol. maggio 2020; 50(5):706-14.

29. Ogawa C, Amano T, Higuchi A, Tsuji S, Kimura F, Murakami T. Torsione annessiale senza lesioni neoplastiche dopo isterectomia laparoscopica: rapporto di tre casi e revisione della letteratura. J Obstet Gynaecol Res. Feb 2021;47(2):851-4.

30. Ashwal E, Hiersch L, Krissi H, Eitan R, Less S, Wiznitzer A, et al. Caratteristiche e gestione della torsione ovarica nelle pazienti in età premenarca rispetto a quelle in età postmenarca. Ostetricia e ginecologia, settembre 2015; 126(3):514-20.

31. Feng JL, Lei T, Xie HN, Li LJ, Du L. Spectrums and Outcomes of Adnexal Torsion at Different Ages: Spettri ed esiti della torsione annessiale. J Ultrasound Med. Sep 2017;36(9):1859-66.

32. Resapu P, Rao Gundabattula S, Bharathi Bayyarapu V, Pochiraju M, Surampudi K, Dasari S. Torsione annessiale in donne sintomatiche: uno studio retrospettivo monocentrico su diagnosi e gestione. Journal of Obstetrics and Gynaecology. 3 aprile 2019;39(3):349-54.

33. Moro F, Bolomini G, Sibal M, Vijayaraghavan SB, Venkatesh P, Nardelli F, et al. Imaging in gynecological disease (20): caratteristiche cliniche ed ecografiche della torsione annessiale. Ultrasound Obstet Gynecol. Dec 2020;56(6):934-43.

34. Duan N, Chen X, Rao M, Zhou C, Wang Z. Modello predittivo TC per l'angolo di torsione come marcatore del rischio di necrosi in pazienti con torsione annessiale. Radiologia clinica. luglio 2021; 76(7):540-6.

35. Guven S, Kart C, Guvendag Guven ES, Cetin EC, Mente§e A. La misurazione dell'albumina sierica modificata dall'ischemia è il test migliore per diagnosticare la torsione ovarica? Gynecol Obstet Invest. 2015;79(4):269-75.

36. Gu X, Yang M, Liu Y, Liu F, Liu D, Shi F. Il segno del vortice ultrasonico combinato con il livello plasmatico di d-dimero nella torsione annessiale.

European Journal of Radiology. dic 2018;109:196-202.

37. Lee CH, Raman S, Sivanesaratnam V. Torsione dei tumori ovarici: uno studio clinicopatologico. International Journal of Gynecology & Obstetrics, gennaio 1989; 28(1):21-5.

38. Vijayalakshmi K, Reddy GMM, Subbiah VN, Sathiya S, Arjun B. Profilo clinico-patologico dei casi di torsione annessiale: A Retrospective Analysis from A Tertiary Care Teaching Hospital. J Clin Diagn Res. giugno 2014;8(6):OC04-7.

39. Meyer R, Meller N, Komem DA, Tsur A, Cohen SB, Mashiach R, et al. Esiti della gravidanza dopo laparoscopia per sospetta torsione annessiale durante la gravidanza. The Journal of Maternal-Fetal & Neonatal Medicine. 6 Jul 2021;1-7.

40. Nair S. Serie retrospettiva di cinque anni di torsione annessiale. JCDR [Internet]. 2014 [citare il 26 luglio 2022]; Disponibile da: http://jcdr.net/article_fulltext.asp?issn=0973-709x&year=2014&volume=8&issue=12&page=OC09&issn=0973-709x&id=5251

41. Meyer R, Meller N, Mohr-Sasson A, Toussia-Cohen S, Komem DA, Mashiach R, et al. Un modello di previsione clinica della torsione annessiale nella popolazione pediatrica e adolescenziale. Journal of Pediatric Surgery. marzo 2022; 57(3):497-501.

42. Warwar RE, Schmidt GE. Torsione ovarica bilaterale con fusione ovarica in presenza di sindrome dell'ovaio policistico: un case report. Case Reports in Women's Health, luglio 2019; 23:e00129.

43. Dawood MT, Naik M, Bharwani N, Sudderuddin SA, Rockall AG, Stewart VR. Torsione annessiale: revisione degli aspetti radiologici. RadioGraphics. Marzo 2021; 41(2):609-24.

44. Huchon C, Staraci S, Fauconnier A. Torsione annessiale: un punteggio predittivo per la diagnosi preoperatoria. Riproduzione umana. 1 settembre 2010; 25(9):2276-80.

45. Hartley J, Akhtar M, Edi-Osagie E. Ooforopessi per torsione ovarica ricorrente. Case Rep Obstet Gynecol. 6 Feb 2018;2018:8784958.

46. Brady PC, Styer AK. Troncamento laparoscopico del legamento utero-ovarico e ooforopessi uterosacrale per torsione ovarica ricorrente idiopatica: case report e revisione della letteratura. Fertil Res and Pract. Dic 2015;1(1):2.

47. Dasgupta R, Renaud E, Goldin AB, Baird R, Cameron DB, Arnold MA, et al. Torsione ovarica in pazienti pediatriche e adolescenti: una revisione sistematica. Journal of Pediatric Surgery. luglio 2018;53(7):1387-91.

48. Pansky M, Smorgick N, Herman A, Schneider D, Halperin R. Torsione di annessi normali in donne postmenarca e rischio di recidiva. Obstet Gynecol.

Feb 2007;109(2 Pt 1):355-9.

49. Bitri M. Adnexal torsion a propos de 23 cases [These Med]. [Tunisi]: Tunisi; 1991.

50. Bar-On S, Mashiach R, Stockheim D, Soriano D, Goldenberg M, Schiff E, et al. Laparoscopia d'urgenza per sospetta torsione ovarica: abbiamo troppa fretta di operare? Fertilità e sterilità, aprile 2010; 93(6):2012-5.

51. Adeyemi-Fowode O, McCracken KA, Todd NJ. Torsione annessiale. Journal of Pediatric and Adolescent Gynecology. agosto 2018;31(4):333 -8.

52. Wang Z, Zhang D, Zhang H, Guo X, Zheng J, Xie H. Caratteristiche dei pazienti con torsione annessiale e risultati delle diverse procedure chirurgiche. Medicina (Baltimora). 1 febbraio 2019;98(5):e14321.

53. Spinelli C, Piscioneri J, Strambi S. Torsione annessiale nelle adolescenti: aggiornamento e revisione della letteratura. Current Opinion in Obstetrics & Gynecology. ott 2015;27(5):320-5.

54. Tzur T, Smorgick N, Sharon N, Pekar-Zlotin M, Maymon R, Melcer Y. Torsione annessiale con cisti paraovariche nella popolazione pediatrica e adolescenziale: uno studio retrospettivo. Journal of Pediatric Surgery. Feb 2021;56(2):324-7.

55. Korkmaz U, Bakir MS, Sagni? S, Simsek T. Torsione ovarica cronica dopo isterectomia vaginale: un caso di cancro ovarico sieroso metastatico. :7.

56. Bouguizane S, Bibi H, Farhat Y, Dhifallah S, Darraji F, Hidar S, et al [Torsione annessiale: un rapporto di 135 casi]. J Gynecol Obstet Biol Reprod (Parigi), ottobre 2003; 32(6):535-40.

57. Mazouni C, Bretelle F, Menard JP, Blanc B, Gamerre M. Diagnosi di torsione annessiale: esistono segni predittivi di necrosi? Gynecologie Obstetrique & Fertilite. marzo 2005; 33(3):102-6.

58. Benkirane S, Alaoui FF, Chaara H, Bougern H, Melhouf MA. Cisti paratubale ritorta: un caso raro di difficile diagnosi. :4.

59. Bakacak M, Kostu B, Ercan O, Bostanci MS, Kiran G, Aral M, et al. La proteina C-reattiva ad alta sensibilità come nuovo marcatore nella diagnosi precoce della torsione ovarica: uno studio sperimentale. Arch Gynecol Obstet. Jan 2015;291(1):99-104.

60. Wattar B, Rimmer M, Rogozinska E, Macmillian M, Khan K, Al Wattar B. Accuratezza delle modalità di imaging per la torsione annessiale: una revisione sistematica e una meta-analisi. BJOG: Int J Obstet Gy. Jan 2021;128(1):37 -44.

61. Ssi-Yan-Kai G, Rivain AL, Trichot C, Morcelet MC, Prevot S, Deffieux X, et al. Ciò che ogni radiologo dovrebbe sapere sulla torsione annessiale. Emerg

73

Radiol. Feb 2018;25(1):51-9.

62. Patil AR, Nandikoor S, Rao A, M Janardan G, Kheda A, Hari M, et al. Multimodality imaging in adnexal torsion: Adnexal torsion. Journal of Medical Imaging and Radiation Oncology. feb 2015;59(1):7-19.

63. Sibal M. Segno dell'anello follicolare: un semplice segno ecografico per la diagnosi precoce della torsione ovarica. Journal of Ultrasound in Medicine. nov 2012;31(11):1803-9.

64. Bar-On S, Mashiach R, Stockheim D, Soriano D, Goldenberg M, Schiff E, et al. Laparoscopia d'urgenza per sospetta torsione ovarica: abbiamo troppa fretta di operare? Fertilità e sterilità, aprile 2010; 93(6):2012-5.

65. Valsky DV, Esh-Broder E, Cohen SM, Lipschuetz M, Yagel S. Valore aggiunto del segno del vortice in scala di grigi nella diagnosi di torsione annessiale. Ultrasound in Obstetrics & Gynecology. 2010;36(5):630-4.

66. Raman Patil A, Nandikoor S, Chaitanya Reddy S. TC nella diagnosi di torsione annessiale: uno studio retrospettivo. Journal of Obstetrics and Gynaecology. 2 Apr 2020;40(3):388-94.

67. Mandoul C, Verheyden C, Curros-Doyon F, Rathat G, Taourel P, Millet I. Prestazioni diagnostiche dei segni TC per prevedere la torsione annessiale in donne che presentano una massa annessiale e dolore addominale: uno studio caso-controllo. European Journal of Radiology. gennaio 2018;98:75-81.

68. Lee MS, Moon MH, Woo H, Sung CK, Oh S, Jeon HW, et al. Risultati TC della torsione annessiale: uno studio caso-controllo. Lagana AS, editore. PLoS ONE. 11 Jul 2018;13(7):e0200190.

69. Ling-Shan C, Jing L, Zheng-Qiu Z, Pin W, Zhi-Tao W, Fu-Ting T, et al. Computed Tomography Features of Adnexal Torsion: A Meta-Analysis. Academic Radiology. Feb 2022; 29(2):317-25.

70. Duigenan S, Oliva E, Lee SI. Torsione ovarica: caratteristiche diagnostiche su TC e RM con correlazione patologica. American Journal of Roentgenology. Feb 2012;198(2):W122-31.

71. Swenson DW, Lourenco AP, Beaudoin FL, Grand DJ, Killelea AG, McGregor AJ. Torsione ovarica: studio caso-controllo che confronta la sensibilità e la specificità dell'ecografia e della tomografia computerizzata per la diagnosi nel dipartimento di emergenza. European Journal of Radiology. aprile 2014;83(4):733-8.

72. Takeda A, Hayashi S, Teranishi Y, Imoto S, Nakamura H. Torsione annessiale cronica: un'entità patologica poco riconosciuta. European Journal of Obstetrics & Gynecology and Reproductive Biology. marzo 2017;210:45-53.

73. Fei Y, Quint E, Rosen M, Dendrinos M. 48. Torsione annessiale cronica che si presenta come dolore pelvico intermittente. Journal of Pediatric and Adolescent Gynecology. Apr 2021;34(2):258.

74. Ito F. Torsione isolata delle tube di Falloppio diagnosticata e trattata con chirurgia laparoscopica: un case report. Gynecology and Minimally Invasive Therapy. 2017;3.

75. Hagege R. Torsione isolata delle tube di Falloppio: un'entità sottodiagnosticata con una gestione discutibile. 2021;00(00):6.

76. Gulino FA, Ettore C, Morreale G, Siringo S, Russo E, D'Asta M, et al. Torsione tubarica isolata in una gravidanza a termine: case report e revisione sistematica della letteratura degli ultimi 10 anni. Front Surg. 5 Apr 2022;9:856915.

77. Blitz MJ, Appelbaum H. Torsione di un resto delle tube di Falloppio associata a un corno rudimentale non comunicante in una ragazza adolescente con utero unicorne. Journal of Pediatric and Adolescent Gynecology. ott 2014;27(5):e97-9.

78. Shevach Alon A, Kerner R, Ginath S, Barda G, Bar J, Sagiv R. Caratteristiche cliniche delle donne con torsione isolata delle tube di Falloppio rispetto alla torsione annessiale. Isr Med Assoc J. Sep 2019;21(9):575-9.

79. Bharathi A, Gowri M. Torsione della tuba di Falloppio e dell'ematosalpinge in donne in perimenopausa: un caso clinico. J Clin Diagn Res. Apr 2013;7(4):731-3.

80. Kartal T, Birge O. Torsione bilaterale delle tube di Falloppio con idrosalpinge bilaterale: un caso clinico. J Med Case Rep. 5 agosto 2020;14:120.

81. Torsione annessiale su cisti paratubale: rapporto di un caso raro - ProQuest [Internet]. Disponibile il [citare 25 aout2022] : https://www.proquest.com/openview/9d2cdd98ee80dd7e84cccd88b7b68f66/1?pq-origsite=gscholar&cbl=2031961

82. Baradwan S, Sendy W, Sendy S. Torsione ovarica dermoide bilaterale in una giovane donna: un case report. J Med Case Reports. Dic 2018;12(1):159.

83. Kurtoglu E, Kokcu A, Danaci M. Torsione ovarica bilaterale asincrona. Un caso clinico e una mini-revisione. Journal of Pediatric and Adolescent Gynecology. giugno 2014;27(3):122-4.

84. Lucchetti MC, Orazi C, Lais A, Capitanucci ML, Caione P, Bakhsh H. Torsione ovarica bilaterale asincrona: tre casi, tre lezioni. Case Rep Pediatr. 2017;2017:6145467.

85. Raicevic M, Saxena AK. Torsioni ovariche bilaterali asincrone nelle bambine - revisione sistematica. World J Pediatr. oct 2017;13(5):416-20.

86. Dipartimento di Ostetricia e Ginecologia, Bursa Yuksek Ihtisas Training and Research Hospital, Bursa, Turchia, Dincgez Cakmak B, Ozgen G, Dipartimento di Ostetricia e Ginecologia, Bursa Yuksek Ihtisas Training and Research Hospital, Bursa, Turchia, Dundar B, Dipartimento di Ostetricia e Ginecologia, Bursa Yuksek Ihtisas Training and Research Hospital, Bursa, Turchia, et al. Gestione della torsione annessiale bilaterale in un caso di sindrome da iperstimolazione ovarica. Eur Arch Med Res. 14 Sep 2018;34(3):196-9.

87. Souabni SA, Belhaddad EH. Grandi cisti ovariche bilaterali con torsione ovarica sinistra e cisti dermoide destra. Pan Afr Med J. 29 Oct 2020;37:191.

88. Guennoun A, Krimou Y, Mamouni N, Errarhay S, Bouchikhi C, Banani A. Torsione annessiale sana e gravidanza: un caso clinico. Pan Afr Med J [Internet]. 2017 [citato il 28 agosto 2022];27. Disponibile da: http://www.panafrican-med-journal.com/content/article/27/197/full/

89. Ayachi A, Blel Z, Khelifa N, Mkaouer L, Bouchahda R, Mourali M. Torsione annessiale nel secondo trimestre di gravidanza, a propos deux cas. Pan Afr Med J [Internet]. 2016 [citato il 14 luglio 2022];25. Disponibile da: http://www.panafrican- med-journal.com/content/article/25/113/full/

90. Karrer FW. Cisti ovarica attorcigliata in un neonato: relazione di un caso. Arch Surg. 1 dic. 1961;83(6):921.

91. M M, F S, B S, KM. Torsione ovarica con ostruzione intestinale in un neonato prematuro. Journal of Pediatric Surgery Case Reports. 1 settembre 2022;84:102381.

92. Joshi J, Kamath N, Kini JR, K J, Rao S, Kamath SP. Torsione ovarica prenatale con caratteristiche di ostruzione intestinale in un neonato. Journal of Nepal Paediatric Society. 15 dic. 2020; 40(3):265-9.

93. Toker Kurtmen B, Divarci E, Ergun O, Ozok G, Celik A. Il ruolo della chirurgia nella torsione ovarica prenatale: valutazione retrospettiva di 28 casi e revisione della letteratura. Journal of Pediatric and Adolescent Gynecology. 1 Feb 2022;35(1):18-22.

94. Saeed H, Hong L, Smith N, Shaman M. Torsione ovarica in utero diagnosticata a 37 settimane di gravidanza: un case report. Case Reports in Women's Health. 1 luglio 2020;27:e00232.

95. Hasson J, Tsafrir Z, Azem F, Bar-On S, Almog B, Mashiach R, et al. Confronto della torsione annessiale tra donne in gravidanza e non. American Journal of Obstetrics and Gynecology, giugno 2010; 202(6):536.e1-536.e6.

96. Hua D, Zhao P, Jiang L. Torsione dell'endometrioma ovarico in gravidanza: un caso clinico e una revisione della letteratura. Trop Doct. Jul 2019;49(3):221-

3.

97. Yu M, Liu Y, Jia D, Tian T, Xi Q. Torsione annessiale in gravidanza dopo fecondazione in vitro. Medicina (Baltimora). 22 Jan 2021;100(3):e24009.

98. Fouedjio JH, Fouogue JT, Fouelifack FY, Nangue C, Sando Z, Mbu RE. Torsione annessiale durante la gravidanza: un caso riportato dall'ospedale centrale di Yaounde, Camerun. Pan Afr Med J [Internet]. 2014 [citato il 5 giugno 2022];17. Disponibile all'indirizzo: http://www.panafrican-med-journal.com/content/article/17/39/full/

99. Wang Y xue, Deng S. Caratteristiche cliniche, trattamento ed esiti della torsione annessiale nelle donne in gravidanza: uno studio retrospettivo. BMC Pregnancy Childbirth. Dic 2020;20(1):483.

100.   Dvash S, Pekar M, Melcer Y, Weiner Y, Vaknin Z, Smorgick N. La torsione annessiale in gravidanza gestita in laparoscopia è associata a esiti ostetrici favorevoli. Journal of Minimally Invasive Gynecology, settembre 2020; 27(6):1295-9.

101.   Kahramanoglu I, Eroglu V, Turan H, Kaval G, Sal V, Tokgozoglu N. Torsione annessiale isolata in una gravidanza gemellare spontanea di 20 settimane. International Journal of Surgery Case Reports. 2016;23:138-40.

102.   Bernigaud O, Fraison E, Thiberville G, Lamblin G. Torsione ovarica in una gravidanza gemellare a 32 settimane e 6 giorni: un case-report. Journal of Gynecology Obstetrics and Human Reproduction, giugno 2021; 50(6):102117.

103.   Chateil JF, Eresue-Bony M, Gautier R. Valutare la dose efficace erogata in radiografia convenzionale e in tomodensitometria. Journal of diagnostic and interventional imaging. 1 settembre 2019;2(4):176-81.

104.   Cunha S, Coutada R, Neiva AR, Goncalves E, Pinheiro P. Torsione annessiale in donne in post-menopausa: una diagnosi ancora più impegnativa. Prog obstet ginecol (Ed impr). 2018;48-51.

105.   Parker WH. Ooforectomia bilaterale rispetto alla conservazione delle ovaie: effetti sulla salute delle donne a lungo termine. J Minim Invasive Gynecol. Apr 2010;17(2):161 -6.

106.   Kives S, Gascon S, Dubuc E, Van Eyk N. N. 341-Diagnosi e gestione della torsione annessiale nei bambini, negli adolescenti e negli adulti. Journal of Obstetrics and Gynaecology Canada. feb 2017;39(2):82-90.

107.   Michelis LD, Politch JA, Kuohung W. Fattori associati all'ooforectomia in pazienti con sospetta torsione ovarica. Journal of Gynecologic Surgery. 1 giugno 2021; 37(3):236-40.

108.   Zangene M, Ashoori Barmchi A, Rezaei M, Veisi F. Confronto tra il livello

sierico di interleuchina-6 nelle donne con torsione ovarica acuta e altre cause di dolore addominale inferiore. Journal of Obstetrics and Gynaecology. 18 Oct 2016;1-5.

109. Ganesh D, Rajkumar A, Rajkumar JS, Guru V. Rottura di gravidanza ectopica con torsione di cisti sierosa ovarica controlaterale: gestione laparoscopica del doppio problema. Case Reports in Obstetrics and Gynecology. 2016;2016:1-3.

110. Kaya C, Ekin M, Cengiz H, Yasar L, dogan K. Un caso raro: gravidanza ectopica rotta con torsione annessiale controlaterale. Bakirkoy Tip Dergisi. 27 marzo 2015;11:29-32.

111. Sendy S, Abuy A, Sendy W, Baradwan S. Presentazione insolita di una piosalpinge bilaterale che imita una torsione ovarica: un caso clinico. Ann Med Surg (Lond). 26 Feb 2020;52:16-8.

112. Akata D. La torsione ovarica e i suoi mimi. Ultrasound Clinics. luglio 2008; 3(3):451-60.

113. Le D, Dey CB, Byun K. Risultati di imaging di un leiomioma uterino peduncolato con torsione: un caso clinico. Radiol Case Rep. 28 Nov 2019;15(2):144-9.

114. Timmons D, Montrief T, Koyfman A, Long B. Sindrome da iperstimolazione ovarica: una revisione per i medici di emergenza. The American Journal of Emergency Medicine, agosto 2019; 37(8):1577-84.

7 APPENDICI

Appendice 1: Modulo di raccolta dati

Indice :   Numero del personale :

Numero di file :   Anno :

Numero di telefono :

Data di consultazione :   Tempo di consultazione :

Data di ammissione :   Orario di ammissione :

Cognome: Nome :

Anamnese:

Età:

Anamnesi: Fx :

Mx :

Chx :

G/O : giovane ragazza : sì / No

G P A

Storia della cisti :

Storia della cistectomia :

Anamnesi di torsione annessiale :

Incinta: Sì / No

Utero cicatrizzato: sì/no

DDR :

Motivo della consultazione :

Quadro clinico :

Condizioni generali :

TA : FC :

Temperatura :

Dolore: ora di insorgenza

Tempo intercorso tra l'insorgenza del dolore e la consultazione:

Modalità di installazione :

Trasmissione :

Episodio precedente simile:

Segni associati :

Segni digestivi : Nausea : Vomito :

Segni urinari :

Esame fisico :

Posizione:

Presenza di massa pelvica: sì / no

Esame con speculum: collo: aspetto macroscopico :

Leucorrea :

Se sì: aspetto

Abondance

Odore

Emorragia :

Se sì: Contatto spontaneo

Filo IUD :

VT: dolore alla mobilizzazione dell'utero:

Dolore CDS Douglas: destro sinistro bilaterale

Biologia :

CRP :

GB :

Beta HCG :

Ecografia: sovrapubica :   endovaginale :

Utero :

L'ovaio aumenta di dimensioni: sì / no

Stroma iperecogeno: sì / no

Disposizione periferica dei follicoli: sì / no

Cisti: numero :

Posizione:

Dimensioni :

Ecogenicite :

Contenuti:

Partizione :

Vegetazione :

Studio Doppler: eseguito / non eseguito

Se fatto :

Vascolarizzazione degli annessi: presente / ridotta / assente

Segno Whirlpool : presente / no

Versamento del Douglas: sì / no

Abondance :

Altri :

TAC effettuata: sì / no

Se fatto: segni di torsione :
Chirurgia :
Ora di ammissione :
Tempo di trasferimento in sala operatoria :
Percorso: Laparotomia / Laparoscopia / Conversione
Effusione: sì / no
Pressione di torsione: sì / no
Se ritorto: numero di giri :
Dimensione di torsione :
Sedile a torsione :
Appendice contorta :
Patologia annessiale associata: sì / no
Se sì: Dimensione
Contenuto
Stato dell'appendice controlaterale :
Se non c'è torsione: scelta di un'altra diagnosi:
Azione intrapresa :
Complicazioni intraoperatorie :
Citologia intraoperatoria: sì / no
Follow-up post-operatorio :
Complicazioni :
Data di uscita :
Progressione della gravidanza :
Reperti anatomopatologici :

TITOLO

Torsione annessiale: esperienza del centro di maternità e
neonatologia di Monastir

SOMMARIO

Introduzione: la torsione annessiale è un'emergenza ginecologica a patogenesi multifattoriale. L'espressione clinica è polimorfa e gli esami di imaging sono generalmente aspecifici. Lo scopo del nostro studio è quello di determinare i vari segni **clinici e paraclinici della torsione annessiale, nonché i fattori prognostici**, e di stabilire un confronto clinico-biologico, radiologico e peroperatorio delle pazienti **che presentano una torsione annessiale.**

Metodi: si tratta di uno studio retrospettivo descrittivo e analitico condotto nel reparto **di** ginecologia e ostetricia del centro di maternità e neonatologia di Monastir in un **periodo di** 5 anni, dal 1° gennaio 2017 al 31 gennaio 2022.

Risultati: su 106 pazienti che presentavano una torsione annessiale, la diagnosi è stata confermata chirurgicamente in 66 pazienti. L'**età media delle nostre** pazienti era di 25,92±9,09 anni, con estremi che variavano da 13 a 53 anni. La fascia d'età più colpita era quella compresa tra i 20 e i 30 anni. Trentasette pazienti erano nubili e trentanove nubili. Il 48,4% delle pazienti si è consultato durante la fase follicolare, che era significativamente associata alla torsione. Il dolore pelvico improvviso (71,7%), localizzato (75%) e a destra (42,4%), ha dominato il quadro clinico. Il vomito, presente nel 41,7% dei casi, era significativamente associato alla torsione. L'**iperleucocitosi (>10000 E/mm3) e la CRP elevata (>5mg/L) non erano significativamente associate alla torsione. In tutte le nostre pazienti è stata eseguita un'ecografia pelvica. Nel 56,7%** dei casi è **stato rilevato un ovaio ingrossato. La** presenza di una massa annessiale era significativamente associata alla torsione **annessiale. Le cisti di dimensioni superiori a 5 cm, con contenuto anecogeno, aspetto dermoide** o localizzazione paratubale erano significativamente associate alla torsione, a differenza delle cisti con contenuto iperecogeno o con **aspetto emorragico. Le** diagnosi differenziali delle restanti 40 pazienti sono state dominate da cisti **emorragiche del corpo luteo (13 casi) e cisti ovariche benigne non complicate (9 casi). In 4 casi** sono state **riscontrate** infezioni utero-annessiche e **in 2 casi appendicite acuta. In 2 pazienti non è stata trovata alcuna diagnosi. La laparoscopia è stata utilizzata per diagnosticare la torsione nel 61,7% dei casi e il trattamento conservativo degli annessi contorti è stato** eseguito nell'88,3% dei casi.

Conclusioni: alla luce dei nostri risultati, sottolineiamo la necessità di un esame ginecologico sistematico associato a un'ecografia pelvica in tutte le donne che presentano un **dolore pelvico acuto, e che la presenza di una massa annessiale** in questo contesto indicherà **la necessità di una crelioscopia d'urgenza, che consentirebbe una diagnosi precisa e offrirebbe la possibilità di un trattamento conservativo al fine di preservare la fertilità della paziente.**

PAROLE CHIAVE: |[
ouleur, Kyste, Annexes, Torsion, Ischemie, Fertilite

Milton Keynes UK
Ingram Content Group UK Ltd.
UKHW011142010424
440421UK00001B/204